et dont j'écrivais l[...]e

comme Zadig avec n[...]banc

derrière le[...]

des *Minori Osservanti* bâti par[...]n VIII,

Barberini, auprès de ces deux beaux[...]s

enfermés par un petit mur rond :

Virginie (Kulby), Angela (Pietragrua),

Adèle (Rebuffel), Mélanie (Guilbert),

Mina (de Griesheim), Alexandrine (Petit),

Angéline, que je n'ai jamais aimée (Bereyter),

Angela (Pietragrua), Métilde (Dembowski),

Clémentine, Giulia, et, enfin,

pendant un mois au plus, Mme Azur

dont j'ai oublié le nom de baptême,

et, imprudemment, hier, Amalia (B).

Vie de Henry Brulard

Art
de Composer
les Romans.

Je ne fais point de Plan. Quand
cela m'est arrivé j'ai été dégoûté
du Roman par le mécanisme que
voici : je cherchais à dire Nouveau en
écrivant le Roman des choses auxquelles
j'avais pensé en écrivant le Plan, et
chez moi le travail de la mémoire
éteint si l'imagination. Ma mémoire trop
mauvaise et pleine de <u>distractions</u>.

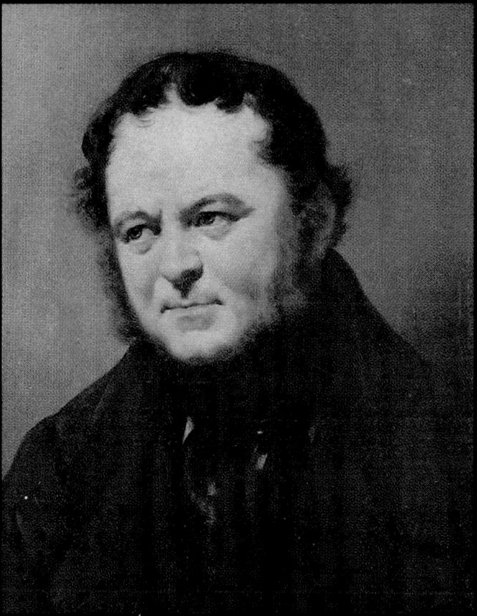

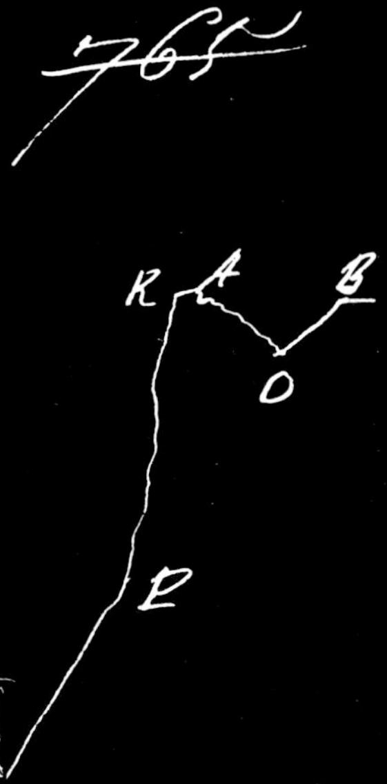
765
R
A
B
O
E

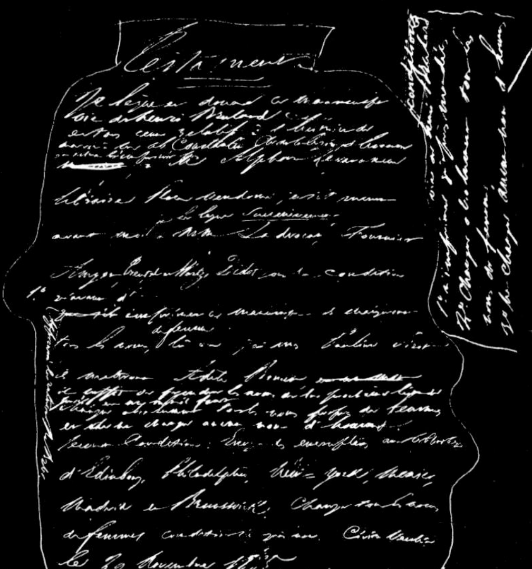

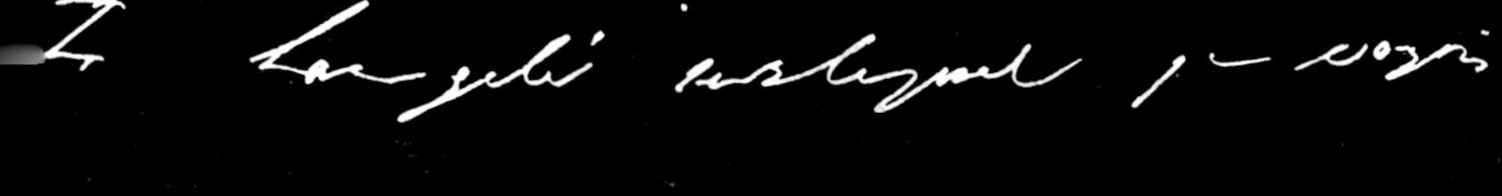

to

TO

the everlasting Memory

of Milady Alexandra Z.

Even in our aching Soul

MILADY

DÉDICACE.

~~~~~

AU PLUS GRAND

DES SOUVERAINS EXISTANTS,

A L'HOMME JUSTE

QUI EÛT ÉTÉ LIBÉRAL PAR SON CŒUR,

QUAND MÊME LA POLITIQUE

NE LUI EÛT PAS DIT

QUE C'EST AUJOURD'HUI

LE SEUL MOYEN DE RÉGNER.

ANGELA G

MÉMO

S

V

DE

IRES

UR

E

IAPOLEON

A Messieurs
de la Police.

Messieurs,

On ne parle ici que de choses arrivées
avant la mort de Napoléon, mai
1821. Rien absolument n'est
relatif à ce qui s'est passé depuis 1830,
plusieurs Chapitres furent écrits vers
1826. on cite souvent les Mémoires
de Nap. et Mr de Lascazes.

VIE

351.

DE HENRY BRULARD

Mort à

écrite par lui même.

Roman

imité du Vicaire

de Wakefield

345

TOME.
2.ᵈ

Vie de henry Brulard
écrite par lui même,
Roman
moral.

J ean Goldzink est
professeur de
littérature française
à l'Ecole normale
supérieure de Saint-
Cloud/Fontenay. Il
a quelque affection
pour Stendhal, et
même pour Grenoble
où il enseigna. Il a
publié des études
sur Marivaux,
Montesquieu,
Beaumarchais, que
Stendhal admirait,
sur Voltaire et Mme
de Staël, qu'il aimait
moins. Il prépare avec
Gérard Gengembre
une *Histoire littéraire
de l'Empire.*

A Jean-Luc Rispail.

Est-il besoin de préciser
tout ce que ce livre doit
aux précieux travaux
et conseils de V. Del Litto...

*Dépôt légal : mars 1992
Numéro d'édition : 55065
ISBN : 2-07-053193-7
Imprimerie Kapp Lahure
Jombart, à Evreux*

STENDHAL
L'ITALIE AU CŒUR

Jean Goldzink

DÉCOUVERTES GALLIMARD
LITTÉRATURE

Aurait-il vraiment une «âme atroce», comme on s'en effraie autour de lui, le petit terroriste jacobin de la haute bourgeoisie grenobloise, qui jubile, en pleine Révolution, de l'angoisse et de l'humiliation de ses «tyrans»? Tyran, Chérubin Beyle, ce dévot au visage si laid! Tyran et harpie, la tante Séraphie, dont la mort le comble de joie! Tyran, le noir abbé Raillane, son précepteur!

CHAPITRE PREMIER
NAÎTRE : À MORT LES PÈRES !

La mort de Louis XVI procura au jeune Henri «un des plus vifs mouvements de joie» de sa vie. Précoces contradictions ou goût de l'héroïsme? il écrira aussi dans un de ses cahiers d'écolier studieux : «Vive les Chouans!»...

«Il me semble que la mort de Louis XVI, 21 janvier 1793, eut lieu pendant la tyrannie Raillane. Chose plaisante et que la postérité aura peine à croire, ma famille bourgeoise, mais qui se croyait sur le bord de la noblesse, [...] suivait le procès du roi comme elle eût pu suivre celui d'un ami intime ou d'un parent. Arriva la nouvelle de la condamnation ; ma famille fut au désespoir absolument.

– Mais jamais ils n'oseront faire exécuter cet arrêt infâme, disait-elle.

"Pourquoi pas, pensais-je, s'il a trahi ?"

[...] La maison fut ébranlée par la voiture du courrier qui arrivait de Lyon et de Paris.

– Il faut que j'aille voir ce que ces monstres auront fait, dit mon père en se levant.

"J'espère que le traître aura été exécuté", pensais-je» (*Vie de Henry Brulard*).

En vérité, le 21 janvier 1793, on coupe le cou des pères, des vieux, des hypocrites, des aristocrates, des dévots, des calculateurs, de «tout ce qui est bas et plat dans le genre bourgeois», bref, de Grenoble !

••Je fus si transporté de ce grand acte de justice nationale que je ne pus continuer la lecture de mon roman [...] et je fermai les yeux pour pouvoir goûter en paix ce grand événement. C'est exactement ce que je ferais encore aujourd'hui [...]. Tous les ménagements, quand il s'agit de la *patrie*, me semblent encore *puérils*.••
Vie de Henry Brulard, à propos de l'exécution de Louis XVI

je'ie (uvi'de ss huegue
j'ay baptisé marie henry ne' trois fils legitime

«Ils ont empoisonné mon enfance»

Henri Beyle, aîné et seul fils d'une famille de trois enfants, est né à Grenoble le 23 janvier 1783, dix ans, presque jour pour jour, avant l'exécution de Louis XVI. Lorsque, le 23 novembre 1835, jour anniversaire de la mort de sa mère, il se replonge dans ses souvenirs en commençant la *Vie de Henry Brulard*

(à mort le nom honni du père!) son enfance lui apparaît faite d'abord de rage et de révolte, de souffrance et de haine : passions d'autant plus violentes et insupportables qu'elles sont ravalées, qu'il ne peut remâcher, comme l'esclave, dit-il, que des «désirs de vengeance impuissants».

Le 24 janvier 1783, fut célébré le baptême d'Henri, «fils légitime de noble Chérubin Joseph Beyle, avocat au parlement, et de dame Caroline Adelaïde Henriette Gagnon. A été parrain Monsieur Henry Gagnon.»

Plan géométrique de la Ville de grenoble et de ses Fauxbourgs Fait à grenoble le 8 mars 1757 par J. XXXI.

La famille est royaliste ? Il sera «républicain enragé». En 1835, il s'étonnera de la douceur de la Terreur grenobloise de 1793, comparée à «la Terreur (antirévolutionnaire) de 1815, ou réaction du parti de mon père». Le père et la tante Séraphie donnent dans la religion ? Il passera avec délectation pour un «impie forcené» (bien que remué toute sa vie par les cérémonies religieuses). Pour Henri Beyle, «la chasse du bonheur», qu'il partagera avec ses héros romanesques, traverse d'abord à Grenoble, ville haïe, le dégoût et la solitude malheureuse.

De Grenoble où il a passé seize années, Stendhal garde à jamais un souvenir dégoûté : «Tout ce qui est bas et plat sans compensation, tout ce qui est ennemi du moindre mouvement généreux, tout ce qui se réjouit du malheur de qui aime la patrie ou est généreux : voilà Grenoble pour moi.»

Le petit monstre de la place Grenette

A l'origine même de son moi, si loin que remonte sa mémoire, il retrouve, amplifiée par la légende familiale qui lui fixe son rôle en croyant le corriger, mais aussi immortalisée par l'autobiographie, l'agressivité d'un petit «monstre». De quoi s'agit-il donc ? «Mon premier souvenir est d'avoir mordu à la joue ou au front Mme Pison du Galland», dont le tort était d'avoir de l'embonpoint et beaucoup de rouge sans renoncer à être embrassée. «Le second trait... autrement noir» fut de laisser s'échapper un couteau, par la fenêtre, sur Mme Chenevaz, «la plus méchante femme de toute la ville». On le gronde ; sa tante maternelle, la dévote Séraphie, le dote «d'un caractère atroce», et voilà pourquoi, selon lui, entre quatre et cinq ans, il prend la religion en «horreur», tandis que naît «presque en même temps [son] amour filial instinctif [...] pour la République» !

Que la personnalité se noue, tel un destin, dans l'aveuglement parental et l'apparente insignifiance des menus faits de la petite enfance, nul ne peut plus l'ignorer depuis le livre I des *Confessions* de J.-J. Rousseau. Mais ici nul regret, on s'en doute, d'avoir échappé à l'admiration familiale des prêtres et des

Gallia delphino surg

B.I

L'Insurrection

Sauv

nobles, même si Stendhal précise, en 1835, qu'il vient enfin, au prix d'un grand effort de raison, de «réduire à de justes proportions» son horreur quasiment native de la religion. Il n'en va pas de même avec la tragédie de son enfance, traumatisme primordial et aveu d'une tout autre monstruosité.

«J'étais amoureux de ma mère»

Un coup de dent, un couteau : ces espiègleries, épinglées en ouverture du récit de l'enfance pour dire l'énigmatique singularité d'une individualité, appellent des révélations plus bouleversantes. J.-J. Rousseau fondait la sincérité de ses *Confessions* sur des aveux. Stendhal l'admire, et l'accuse aussi de charlatanerie littéraire, de mise en scène. Il lui faut pourtant, à son tour, risquer une terrible vérité, qui lui brûle les lèvres : il a désiré sa mère et abhorré son père! Ecoutons le sobre récit, «écrit de nuit à la bougie» le 30 novembre 1835; écoutons Stendhal dans ses mots à lui, dans les images nocturnes de sa mémoire brûlante : «Ma mère, Mme Henriette Gagnon, était une femme charmante,

En se soulevant, en 1788, contre une réforme du parlement, le Dauphiné prépare directement la Révolution de 1789 et mérite l'hommage de la patrie.

Quelques mètres seulement séparent la maison natale d'Henri Beyle, dans l'étroite rue des Vieux-Jésuites (actuellement 14, rue Jean-Jacques Rousseau!), de la place Grenette (page de gauche, en bas), tout au fond de laquelle son grand-père maternel, le docteur Henri Gagnon, possédait une superbe demeure. Stendhal la décrit comme «une vieille maison située dans la plus belle position de la ville, [...] en plein midi, et ayant devant elle la plus belle place de la ville, les deux cafés rivaux et le centre de la bonne compagnie».

Dès l'enfance et toute sa vie, Stendhal griffonne dans ses cahiers, sur ses manuscrits et ses lettres.

et j'étais amoureux de ma mère. [...] Je voulais [la] couvrir de baisers et qu'il n'y eût pas de vêtements. [...] J'abhorrais mon père quand il venait interrompre nos baisers. Je voulais toujours les lui donner à la gorge [...]. J'étais aussi criminel que possible, j'aimais ses charmes avec fureur.

Un soir, comme par quelque hasard on m'avait mis coucher dans sa chambre par terre, sur un matelas, cette femme vive et légère comme une biche sauta par-dessus mon matelas pour atteindre plus vite à son lit.»

«Je lui rendais ses baisers avec un tel feu qu'elle était comme obligée de s'en aller»

Ce qui frappe d'abord, et désarme au fond l'interprétation, c'est l'absolue netteté de la révélation, la radicale absence de toute fausse honte, chrétienne ou mondaine («si je la retrouve jamais, je le lui dirais encore»). L'inceste (omniprésent dans la

Personne sans doute, avant la *Vie de Henry Brulard*, n'a dit aussi crûment l'amour sensuel de la mère et la haine jalouse du père, dont Freud fera l'usage qu'on sait à propos du mythe d'Œdipe (ci-contre interprété par Ingres). Voici comment Stendhal évoque son père : «C'était un homme extrêmement peu aimable, réfléchissant toujours à des acquisitions et à des ventes de domaines, excessivement fin, accoutumé à vendre aux paysans et à acheter d'eux, archi-dauphinois. Il n'y avait rien de moins espagnol et de moins follement noble que cette âme-là.» Quelle émotion, par contre, dans le portrait de la mère ! «Elle avait de l'embonpoint, une fraîcheur parfaite, elle était fort jolie et je crois que seulement elle n'était pas assez grande.»

+ 26ᵉ 9ᵇʳᵉ 1790...j'ai donné la sepulture a dame
aroline, à délidde hériette gagnon "epouse de
mᵉ cherubim Joseph. Beyle, avocat,

littérature du XVIIIᵉ siècle et du romantisme) est ici une blessure toujours saignante offerte au scalpel de l'analyse. C'est cette conjugaison de tendresse sans pathos et de lucidité sans sécheresse, qui fait le prix unique de Stendhal : sa voix, aux antipodes de la provocation sadienne et du satanisme romantique, deux formes de la grandiloquence dont il avait horreur.

Henriette Gagnon fut donc «comme obligée de s'en aller». Elle mourut en couches, le 23 novembre 1790, à l'âge de trente-trois ans, peut-être de la main d'un médecin maladroit (autre faute paternelle...), et Stendhal le répète avec force : «Là commence ma vie morale.» Elle commence dans la douleur affreuse qui interdit les larmes, dans le malentendu («Ceci vient de Dieu», explique l'abbé Rey, et les amis discutent près du cercueil comme si de rien n'était), la perte et la nostalgie, où s'alimentent haine et révolte, et donc aussi une énergie passionnée, tendue vers un bonheur toujours à retrouver. Incandescent et fugace, comme un saut de biche sur un matelas.

❝Je remplirais des volumes si j'entreprenais de décrire tous les souvenirs enchanteurs des choses que j'ai vues ou avec ma mère ou de son temps.**❞**
   Vie de Henry Brulard

La peinture, avec Greuze (ci-contre, en bas, détail du *Fils puni*), le théâtre, avec le drame bourgeois, la littérature, avec Diderot, Rétif de la Bretonne, Mᵐᵉ de Staël (fille de Necker), disent la puissance d'émotion, l'intense signification sociale, politique, symbolique, que le XVIIIᵉ siècle attache à la figure paternelle. Mais la haine contre le père et la révolte du fils appartiennent bien aussi à l'imaginaire des Lumières, qui ne cessent de s'interroger sur les devoirs et les pouvoirs du *pater familias*. Stendhal, si profondément nourri par leur philosophie, tracera dans *Lucien Leuwen* un admirable portrait du père selon son cœur. Mais le vide ineffaçable que creuse le décès de sa mère (ci-dessus l'acte de décès) n'est comblé dans aucun de ses romans par la création d'un personnage équivalent.

L'insoutenable triangle

«L'amour a toujours été pour moi la plus grande des affaires, ou plutôt la seule. Jamais je n'ai eu peur de rien que de voir la femme que j'aime regarder un rival avec intimité [...], ma douleur est sans bornes, et poignante. [...] Aucun autre chagrin ne produit chez moi la millième partie de cet effet», écrira-t-il à propos de sa première passion pour une jeune actrice.

Comment le gros garçon disgracieux à la «tête énorme», au cœur de feu, aurait-il pu ne pas haïr le père («cet homme», dit-il à sa tante Elisabeth effarée) qui lui vole sa mère, qui caresse sa sœur cadette, qui couche peut-être avec Séraphie, qui n'aime pas Henri l'individu, mais Beyle l'héritier, qui ne pense qu'à l'argent, qui le tyrannise (sans cependant jamais le frapper)? Mais qu'on ne s'imagine pas découvrir alors une vérité secrète dans le dos du narrateur : «J'étais [...], au fond de l'âme, jaloux de mon père.»

Jaloux du père, et en révolte contre tout ce qu'il représente, l'ignoble côté Beyle incarné par l'avocat Chérubin Beyle, Séraphie si peu Gagnon («diable femelle»), leur sbire, l'abbé Raillane, et leur complice, la petite sœur Zénaïde, la rapporteuse qui trahit l'alliance de ses deux aînés, Henri et Pauline, et ralliera de fait le camp des aristocrates et des prêtres !

Comment s'échapper vers le Jardin de ville lorsqu'on vit sous la férule de l'abbé Raillane ? «Il est difficile d'avoir une âme plus sèche, plus ennemie de tout ce qui est honnête, plus parfaitement dégagée de tout sentiment d'humanité. Il était prêtre...»

«Un pauvre petit bambin persécuté»

En quoi consiste donc le calvaire du petit Henri, «victime de l'éducation aristocratique et religieuse»? Frustré d'amour, agressif, difficile, le jeune garçon souffre d'une grave persécution, dont seuls d'heureux ignorants souriront : l'excès de sollicitude, qui ne l'embrasse que pour mieux l'étouffer. La famille ayant, depuis la mort d'Henriette Gagnon, quasiment renoncé à toute vie mondaine, on l'épie, on le prive de sorties, de camarades, de jeux, comme si, dit-il, il était

devenu leur unique distraction! Comme
il est l'héritier de bourgeois ambitieux,
pas question de l'envoyer dans la rue se
commettre avec les pauvres, de le laisser
nager dans l'Isère! On le dote, pour singer
l'aristocratie, de cours à domicile et d'un
précepteur, l'abbé Raillane, «un noir coquin,
[...] petit, maigre, très pincé, le teint vert,
l'œil faux avec un sourire abominable», en
charge de décembre 1792 à août 1794. A la
nostalgie douloureuse de la gaieté
maternelle, de sa tendresse, de sa sociabilité
mondaine, s'oppose le morne ennui d'une
famille ennemie du rire, repliée sur elle-
même. Et le non moins morne dégoût des
exercices scolaires, qui se cristallise sur
M. l'abbé Raillane.

L'expérience de l'étouffement familial,
si cruciale dans la sensibilité moderne,
s'accompagne d'un rejet violent de tout
l'univers parental : «J'étais absolument
comme les peuples actuels de l'Europe : mes
tyrans me parlaient toujours avec les douces
paroles de la plus tendre sollicitude, et leur
plus ferme allié était la religion. J'avais à
subir des homélies continuelles sur l'amour
paternel et les devoirs des enfants. [...] Tant
il est vrai que toutes les tyrannies se
ressemblent.» Pères, tyrans, jésuites,
bourgeois, même combat hypocrite
contre les fils, les artistes et les
peuples avides de liberté!

Chérubin Beyle
(1747-1819) et ses
deux filles : Pauline la
confidente (1786-1857),
et Zénaïde la
rapporteuse (1788-1866).

Le père était-il aussi froid, la tante aussi haineuse, l'abbé aussi abominable ? Questions vaines ! Qu'est-ce qu'une enfance d'écrivain, hors du souvenir écrit qui nous en laisse la trace ? Et que savons-nous d'Henri Beyle enfant, sinon ce qu'il découvre dans sa mémoire pour s'expliquer à lui-même sa propre énigme, en Italie, au soir de sa vie ?

Hors de la cage

Par où fuir l'emprisonnement doucereux sous la coupe des vieux («J'abhorrais tout ce qui était vieux»)? Il y a la cuisine où, avec Marion, la cuisinière, et Lambert, le valet de chambre de son grand-père, qui devient son ami intime, il accède à cette combinaison essentielle du bonheur stendhalien : l'amitié, la liberté, la douce égalité, la gaieté (l'idéale et introuvable République...). Il n'avait pu pleurer la mort de sa mère «que plus d'un an après, seul, pendant la nuit, dans [son] lit». Lorsque Lambert meurt, en 1793, en tombant d'un arbre, il éprouve d'abord, comme tout le reste de sa vie, «une douleur réfléchie, sèche, sans larmes, sans consolation», et puis, huit jours après, devant un bol de faïence ébréché qui avait contenu le sang du blessé, les sanglots l'étouffent, au grand scandale de Séraphie.

Il y a la fenêtre, d'où il envie les gamins en baignade dans l'Isère (vus de près, ils se révéleront, comme le peuple, comme les élèves de l'Ecole centrale et les soldats napoléoniens, violents et grossiers), la fenêtre qui donne sur l'Histoire et découpe des images inoubliables. Le 7 juin

Dans *Henry Brulard* Stendhal évoque le souvenir chaleureux de Lambert, le valet de chambre de son grand-père : «Mes plus doux épanchements avec mon ami avaient lieu pendant qu'il travaillait à scier le bois au bûcher, séparé de la cour par une cloison à jour, formée de montants de noyer façonnés au tour, comme une balustrade de jardin, [...] qui me semblaient superbes pour faire des toupies.»
Il les dessine. Le croquis d'écolier solitaire ou timide provient, lui, des cahiers.

1788, un soulèvement populaire éclate à la suite de sanctions royales contre le parlement de Grenoble : c'est la fameuse journée des Tuiles (jetées des toits sur la troupe). L'enfant de cinq ans, à qui le grand-père raconte le soir même la fin du roi Pyrrhus tué par une tuile, suit des yeux, fasciné, un ouvrier chapelier blessé au bas du dos, qui monte marche à marche, dans la maison contiguë, l'escalier violemment éclairé qui le mène à la mort. L'optique stendhalienne aura cette précision intense, ce cadrage aigu.

Pour s'échapper et rejoindre, au printemps 1794, la rue, l'Histoire et le bataillon de l'Espérance, organisation paramilitaire boycottée par les aristocrates qui, à l'initiative des Jacobins, devait rassembler tous les enfants de la ville (seule institution, dira-t-il en 1835, «qui puisse déraciner le prêtrisme en France»), il rédige un faux, aussitôt éventé par le conseil de famille.

"Là nous voyions, nous autres pauvres prisonniers, des jeunes gens qui *jouissaient de la liberté*, allaient et venaient *seuls* et après se baignaient dans l'Isère [...]. M. Raillane, comme un vrai journal ministériel de nos jours, ne savait nous parler que des dangers de la liberté. Il ne voyait jamais un enfant se baigner sans nous prédire qu'il finirait par se noyer, nous rendant ainsi le service de faire de nous des lâches, et il a parfaitement réussi à mon égard. Jamais je n'ai pu apprendre à nager."

Vie de Henry Brulard

L'enfance d'Henri Beyle baigne, dès 1788, dans l'atmosphère électrique des troubles révolutionnaires. En mai de cette année, le parlement de Grenoble refuse d'enregistrer des édits ministériels qui le lèsent. Le 7 juin, le peuple se soulève, occupe les portes de la ville, et, des toits, lapide les troupes à coups de tuiles : c'est la journée des Tuiles (ci-contre représentée par A. Debelle; le grand bâtiment sur la droite est l'actuel lycée Stendhal). Le 14 juin, neuf ecclésiastiques, trente-trois nobles et cinquante-neuf membres du tiers état (menés par Mounier et Barnave) réclament la convocation des «Etats particuliers de la province» (avec égalité du tiers et des deux autres ordres), et celle des états généraux du royaume. Le 21 juillet, se réunit dans un château prêté par le richissime Perier (Raillane avait été précepteur de ses enfants!), la fameuse assemblée de Vizille (double page suivante) qui préfigure les états généraux de 1789.

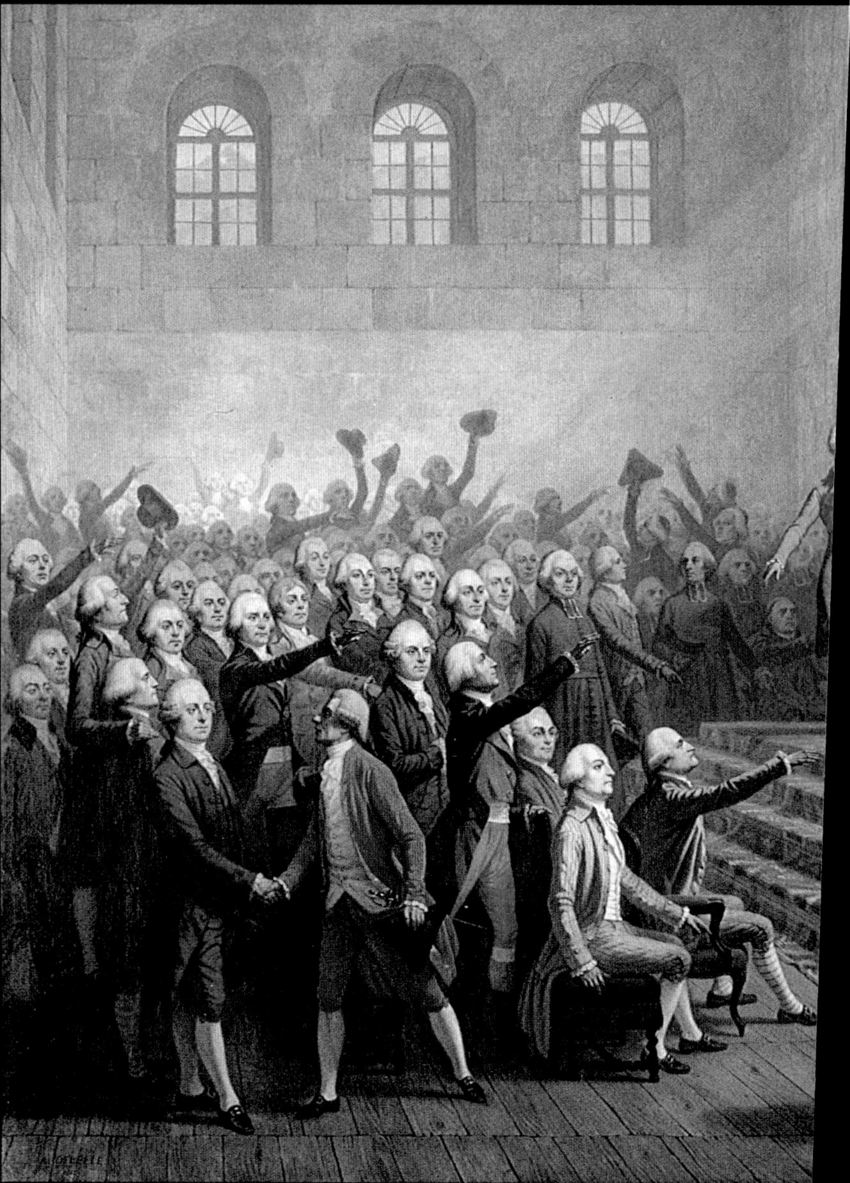

Enfin rire sous un tilleul

Il y a bien entendu l'évasion par le livre. Livres dont
il discute les mérites avec le cher grand-père
(*Télémaque* de Fénelon, Voltaire, peu aimé, Molière,
parfois trop bourgeois, Horace, les *Métamorphoses*
d'Ovide...); livres d'Italie, liés à la mère, lectrice de
Dante, qui fixent son goût indéracinable de la passion
romanesque (*Roland furieux, La Jérusalem délivrée*);
livres volés surtout, qui le bouleversent (les romans à
la mode de son oncle Romain Gagnon, véritable don
Juan provincial; *La Nouvelle Héloïse*, dérobée au
père, fervent lecteur de Rousseau, lue couché et
enfermé, qui fait de lui un «honnête homme» et,
adulte, lui tombe   des mains).

j'ecrivevri

FIN DU CANTIQVE DE L'ENFER.

Henri Beyle

Stendhal garde une
impression
détestable des
promenades avec son
père en direction de
leur propriété de
Furonières, à Claix!
D'où le commentaire
ci-dessous d'un de ces
cryptogrammes
facilement lisibles qu'il
affectionne.

Mais avant *La Nouvelle Héloïse* il y avait eu, dévoré dans la maison de campagne de Claix, sous le second tilleul de l'allée, *Don Quichotte*, qui le fait mourir de rire, son premier rire depuis la mort de sa mère : ce livre «est peut-être la plus grande époque de ma vie». La passion, le comique : tout le génie de Stendhal pourrait tenir dans leur fusion.

«**Mon véritable père et mon ami intime**»

Mais il est d'autres recours que la cuisine, la fenêtre et le livre. Car l'enfant meurtri joue le grand-père maternel contre le père, rejette le côté Beyle pour le côté Gagnon : Henri Gagnon, médecin attitré de la bonne société grenobloise, humaniste, homme des

Sous les tilleuls de Furonières, Henri dévore un vieux livre orné d'estampes : *Don Quichotte*. «Qui le croirait ? Mon père, me voyant pouffer de rire, venait me gronder, me menaçait de me retirer le livre, ce qu'il fit plusieurs fois [...]. Je me cachai dans les charmilles, petite salle de verdure à l'extrémité orientale du *clos* (petit parc), enceinte de murs». C'est avec ferveur qu'il lit un ouvrage ayant appartenu à sa mère : *La Divine Comédie* de Dante, sur lequel figure sa première signature connue.

C'est du grand-père, Henri Gagnon (1728-1813), que Stendhal dit avoir conservé «le souvenir le plus net» : sa «perruque poudrée blonde à trois rangs de boucles», ses vapeurs, ses rhumatismes, son petit chapeau triangulaire sous le bras. Le grand-père, qui parle italien, et sa fameuse terrasse fleurie évoquent pour lui une Italie de rêve, comme les paysages qu'en a peint Géricault (à droite).

Lumières, Elisabeth Gagnon, sa sœur, dont Stendhal dit qu'elle forma son cœur, et enfin Romain Gagnon, le fils, avocat et séducteur, qui lui fait découvrir le théâtre. Rejoindre les Gagnon n'est pas une métaphore, car la maison du grand-père, une des plus belles de la place Grenette, est à cent pas de la maison Beyle, étroite, sombre, humide. Faut-il chercher là une des racines de son «horreur insurmontable pour ce qui a l'air *sale*, ou *humide*, ou *noirâtre* » (l'anti-Italie)? A cette tombe grenobloise s'oppose la terrasse ensoleillée, végétale, aérienne, où le docteur Gagnon initie son petit-fils aux constellations et aux plantes.

Ainsi se met en place le grand partage des valeurs et des aspirations, qui dresse face à face Beyle et Gagnon, Grenoble (puis la France) et l'Italie, le moi et la société. Le côté Beyle, c'est le pouvoir, l'avarice, l'insensibilité, l'ombre, le froid, la tristesse, le pédantisme, la vanité, l'éloquence hypocrite sur les «beautés de la nature», l'affection des parents et les «dangers de la liberté». Contre eux, la culture, l'esprit, la gaieté, la lumière, le plaisir, la beauté, la tendresse, la générosité et la fierté, la folie des chimères, rattachés à cette «Italie» dont l'enfant se persuade qu'elle est la patrie des Gagnon, et qu'il sera le seul à vouloir rejoindre et recomposer en lui, en unissant les traits épars de la branche maternelle.

"Un léger vent de sirocco à peine sensible faisait flotter quelques petits nuages blancs au-dessus du mont Albano, une chaleur délicieuse régnait dans l'air; j'étais heureux de vivre."

Vie de Henry Brulard

Quatre années avant Henri Beyle, l'armée française entre dans Milan. Le début héroïque et musical (*allegro con brio*) de *La Chartreuse de Parme* en claironnera le récit.

"Le 15 mai 1796, le général Bonaparte fit son entrée dans Milan à la tête de cette jeune armée qui venait de passer le pont de Lodi, et d'apprendre au monde qu'après tant de siècles César et Alexandre avaient un successeur. Les miracles de bravoure et de génie dont l'Italie fut témoin en quelques mois réveillèrent un peuple endormi ; huit jours encore avant l'arrivée des Français, les Milanais ne voyaient en eux qu'un ramassis de brigands, habitués à fuir toujours devant les troupes de sa Majesté Impériale et Royale : c'était du moins ce que leur répétait trois fois la semaine un petit journal grand comme la main, imprimé sur du papier sale."

La Chartreuse de Parme

Fuir Grenoble par les mathématiques

Bien entendu, le jeune garçon, en grandissant, desserre l'étau, chaparde des sorties, se glisse timidement au rendez-vous de la jeunesse grenobloise, le Jardin de ville, voit mieux les défauts du grand-père (faiblesse de caractère, égoïsme sceptique, absence d'énergie patriotique, de sublime) et n'en admire que plus son nouveau héros, le pauvre et désintéressé libraire républicain, M. Falcon (dont seule Elisabeth, à «l'âme espagnole», serait peut-être digne). Inévitable, une passion transie et terrorisée pour une jeune actrice et chanteuse, Mlle Kubly, entre 1797 et 1798, dissout sa haine de Séraphie, qui meurt en 1797, et surtout suscite sa passion «la plus forte et la plus coûteuse» : la musique.

Mais l'évasion du fils de famille révolté ne passera pas par le théâtre. Elle suivra plus

Trois maîtres d'Henri Beyle à l'Ecole centrale de Grenoble : l'abbé Claude-Marie Gattel (1743-1812) lui enseigne la grammaire, c'est-à-dire l'enchaînement des idées, c'est-à-dire la logique; Jean-Gaspard Dubois-Fontanelle (1737-1812) ne lui apprend pas seulement la traditionnelle rhétorique, il lui révèle les grandes œuvres françaises et étrangères, dont Shakespeare, Ossian, Goethe, etc.; moins déterminante fut sans doute l'influence de Louis-Joseph Jay (1755-1836), professeur de dessin, auteur du portrait de son collègue Dubois-Fontanelle et du groupe d'élèves de l'Ecole centrale, parmi lesquels Henri Beyle figurerait (septième en partant de la droite).

sagement la filière scolaire. Le 21 novembre 1796, il entre à l'Ecole centrale de Grenoble, l'une de ces écoles installées par la Révolution pour remplacer les anciens collèges religieux. Comme le docteur Gagnon, grande figure de la culture grenobloise, appartenait évidemment à la commission chargée d'organiser l'enseignement, il eût été politiquement délicat de ne pas y inscrire son petit-fils ! La République offrait enfin, à treize ans et demi, des camarades à Henri Beyle – Félix Faure, Louis Crozet, sans oublier la classique grosse brute, Odru, dit Goliath –, et quelques bons professeurs – le citoyen Dubois-Fontanelle, chargé des belles-lettres, L.-J. Jay pour le dessin, l'abbé Gattel pour la philosophie.

Gabriel Gros, qui lui fait comprendre les mathématiques et donnera son nom à un personnage du *Rouge et le Noir*, n'enseignait pas à l'Ecole centrale ! Or c'est par les mathématiques, qui conduisent à la nouvelle Ecole polytechnique, qu'Henri Beyle décide de s'échapper. Un premier prix, le 15 septembre 1799, l'emporte vers Paris le 30 octobre. Devant son père qui pleure. «Un peu»...

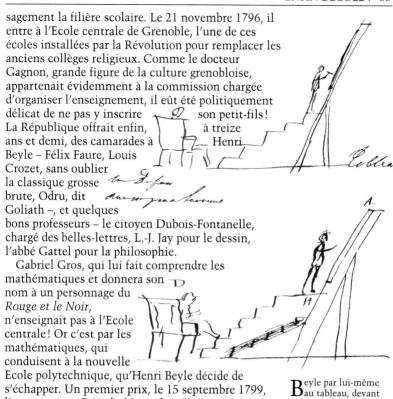

Beyle par lui-même au tableau, devant M. Dupuy, professeur de mathématiques.

Paris d'abord affreux, Milan toujours radieux, Brunswick en blond, Moscou en feu – Molière et Napoléon, le salon et la Berezina : sera-t-il poète, préfet, don Juan ou dandy ? Henri *de* Beyle, âme tendre sur ventre lourd, se cherche à travers l'Europe et son *Journal*. Il ne se trouvera qu'à l'écroulement de l'Empire.

CHAPITRE II

NAPOLÉON ET MOI : PARAÎTRE ET CONNAÎTRE (1800-1814)

Le Bonaparte de David lance la jeunesse sur les sentiers de la gloire. Henri Beyle, à qui on attribue ce visage songeur, le suit en Italie presque malgré lui et se lasse vite du métier militaire. Pendant quelques années, il cherchera à devenir poète, avant de se mettre au service de l'Empereur.

«Il n'y avait point de montagnes!»

Au relais de Nemours, le 9 novembre (18 brumaire an VIII), il apprend que la France quitte le Directoire et entre en Consulat, au service d'un général corse. Et lui aussi, Henri Beyle, fait son coup d'Etat : pas question d'entrer à Polytechnique, finies les mathématiques. Un projet plus ambitieux l'exalte en diligence – «être un séducteur de femmes», de ces femmes de Paris qu'il ne peut pas manquer : «Je l'aimerais avec tant de transport que je dois la trouver! Cette folie, jamais avouée à personne, a peut-être duré six ans.» Mais ce qu'il trouve, le gros garçon joufflu au cœur trop sensible, effaré de liberté, c'est la solitude des grandes villes, qui l'anéantit.

Inquiets de ne plus le revoir après sa première visite, les Daru, parents du grand-père Gagnon qui vont orienter sa vie, le font soigner et le rapatrient chez eux. Ses cheveux sont tombés, il porte perruque. A Paris, tout le révulse : trop de boue, pas de montagnes, pas d'arbres, pas de cœur. Paralysé, terrorisé, il ne dit rien, ne fait rien, sauf des bévues. L'écart s'avère trop grand entre la cime indéterminée du désir et le réel. Les Daru

Pierre Daru (1767-1829), terreur des bureaux, est le type même de ces hauts fonctionnaires travailleurs et parfois efficaces que l'Ancien Régime a légués à la Révolution et à l'Empire. Commissaire des guerres dès 1784, arrêté sous la Terreur, il est chef de division au ministère de la Guerre en 1796. En 1800, il part en Italie comme inspecteur aux revues, corps d'élite. En mars 1801, le voilà secrétaire général du ministère de la Guerre. Conseiller d'Etat en 1805, membre de l'Institut et intendant général de la Grande Armée en 1806, il sert en Prusse et en Autriche, avant de devenir, en 1811, ministre secrétaire d'Etat. Il accompagne l'Empereur en Russie, et s'efforce ensuite d'équiper les nouvelles armées. Sans fonctions après Waterloo, il entre à l'Académie française en 1816, publie en 1819 une *Histoire de la République de Venise* et, nommé à la Chambre des pairs, y défend des idées libérales. Il est même élu, en 1828, à l'Académie des sciences. Il a toujours tenu son cousin Henri Beyle pour un ignorant!

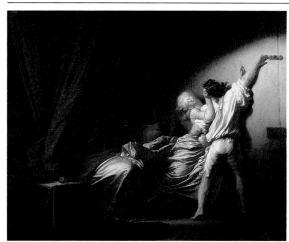

s'interrogent : imbécile ou fou ? et l'installent d'autorité au ministère de la Guerre, derrière un bureau, sous l'œil impitoyable de Pierre Daru, haut fonctionnaire et petit poète. Don Juan devient commis, Molière gratte-papier. Mais il a quelques amis : les arbres taillés du ministère, qu'affectueusement il compisse.

La guerre, à défaut de l'amour, va lui ouvrir le ciel : le 7 mai 1800, il suit les frères Pierre et Martial Daru à l'armée en route vers l'Italie. Mais l'Italie aurait-elle été cette patrie idéale sans la boue parisienne, sans la prison grenobloise ? Toute la vie de Stendhal apparaît scandée par cette alternance de repli et d'expansion, par le désir d'effusion, l'angoisse devant autrui, le dégoût des «âmes sèches» et de cette mondanité vide rencontrées chez les Daru, et quelques envols au paradis.

L'Ecole polytechnique (à gauche, son entrée), créée en 1794, n'eut pas l'occasion d'accueillir Henri Beyle. On a beaucoup discuté de ses capacités mathématiques, que son premier prix grenoblois avait surévalué sans doute. Reste que plusieurs de ses condisciples – il le rappelle dans *Henry Brulard* – réussirent au concours qu'il refusa de passer. Les références mathématiques toutefois abondent sous sa plume, et l'Ecole revient en force dans ses romans, avec les héros d'*Armance* et de *Lucien Leuwen*.

«Ce bonheur ravissant, pur et divin»

Où commence le bonheur, «recommencent mes
souvenirs» : à Genève, un matin, vers les huit heures
– quand il grimpe maladroitement, avec sabre trop
lourd et éperons ridicules, sur un cheval bai clair
surchargé d'un énorme portemanteau (une trentaine
de livres!). Gêné, le cheval s'élance vers le lac et fait
le fou dans les saules, avant qu'on le ramène avec son
cavalier néophyte – Bonheur! Beyle vient de trouver,
en la personne du capitaine Burelvillers, un
initiateur bourru,
sarcastique

et bienveillant comme un narrateur de roman stendhalien, qui, de Genève à Milan, va lui apprendre à tenir son sabre et son cheval, à affronter le canon, à ne pas se jeter sur les duels, à se loger – Bonheur! Mais ce n'est qu'à lui-même et à Cimarosa qu'il devra

Beyle aborda, dit-il, la célèbre traversée du Saint-Bernard en «poule mouillée complète», qui rencontrait le danger, la fatigue et la faim pour la première fois. «Que fussé-je devenu sans la rencontre de M. Burelvillers et si j'eusse marché seul?» Transpercé d'humidité, il arrive enfin à l'hospice (à gauche), presque couvert «par un nuage qui passait», où on lui donne un demi-verre de vin très froid. «Je me souviens fort bien de cette longue descente circulaire autour de ce diable de lac glacé.» Reste à affronter, le lendemain, le fort de Bard et ses canons (dessin de Stendhal).

En Italie l'attend Domenico Cimarosa (1749-1801, page de gauche, en haut). A ce compositeur chéri, il empruntera son pseudonyme intime favori : Dominique.

l'extase la plus pure, le moment sublime, goûté «jusqu'à l'anéantissement et la folie», un soir à Novare, quand il découvre le *Mariage secret*, chanté par une cantatrice avec une dent de moins sur le devant – Bonheur, bonheur divin ! Ineffable viatique de toute une vie, qui rachète toute vie et se refuse aux mots. Mais dont il essaiera, dans les romans, de suggérer l'impression, comme en ce début de *La Chartreuse* repoussé, pour plus de pureté héroïque, du Consulat vers la Révolution.

«Revenir un jour colonel... l'embrasser... et fondre en larmes»

A Milan, il retrouve les Daru, rencontre *la* femme, somptueuse et terrible, Angela Pietragrua, qu'il adore sans mot dire, et va enfin, en des mains expertes, s'infecter en lieu sûr. (Mais il reviendra, onze ans plus tard, reconquérir sa déesse, éternisée dans *La Chartreuse de Parme* sous les traits de la Sanseverina.) Tout lui plaît, tout l'éblouit en Lombardie : les paysages, les marbres, la Scala, et l'odeur milanaise du crottin dans les rues. Pourtant, cet éblouissement n'apparaîtra

••Milan a été pour moi le plus beau lieu de la terre, [...] le lieu où j'ai constamment désiré d'habiter.» Pas un mot, dans ce dernier chapitre à jamais interrompu de la *Vie de Henry Brulard*, sur Angela Pietragrua (à gauche), qu'il dit pourtant avoir adoré en silence ! Elle apparaît dans le *Journal*, pour la première fois, le 12 septembre 1801, sous cette mention laconique : «Joinville [son amant, qui lui présente Henri Beyle], Marigner, Mazeau, Auguste Petiet, Mme Grua [...], passent pour aller à Venise.» On ignore ses dates de naissance et de mort. Fille d'un marchand de drap milanais enrichi comme fournisseur de l'armée française, elle épouse à l'âge de seize ans, vers 1793, un modeste employé des poids et mesures, Carlo Pietragrua, dont elle a un fils en 1795. Beyle écrit, après l'avoir revue en 1811 : «J'ai vu une grande et superbe femme. [...] J'ai trouvé plus d'esprit, plus de majesté et moins de cette grâce pleine de volupté.**••**

Le jeune sous-lieutenant Beyle assiste à la fête de la Paix, qui célèbre à Milan, le 30 avril 1801, le traité de Lunéville, censé ramener la paix en Europe.

vraiment que dans des textes postérieurs : manque-t-il du temps à la mémoire, ou du talent à la plume inexperte ?

Pierre Daru prend en charge son jeune nigaud de cousin, qui se voit bombardé sous-lieutenant au 6e dragons (ses héros auront droit aux hussards). Cette expérience d'officier pistonné et jalousé nourrira *Lucien Leuwen*. Car de la vie militaire vue de l'intérieur, il ne saura

C'est à la Casa Castelbarco que Beyle, à son arrivée à Milan, travaille d'abord, dans les bureaux de Pierre Daru.

DE
L'HOMME,
De ses Facultés intellectuelles & de son Éducation.

Ouvrage posthume de M. HELVÉTIUS.

A LONDRES.

M. DCC. LXXVI.

Visage ingrat, mais tous ceux qui l'ont connu ont souligné l'intense expressivité du regard. Ce portrait présumé d'Henri Beyle vers 1802 permet de comprendre son surnom : le Chinois, il Chinese.

jamais davantage que cette année de service, menée avec assez de désinvolture pour irriter l'intraitable Daru. En décembre 1801, malade et dégoûté, il repart en France ; en juillet 1802, il démissionne, pour devenir poète. Toute sa vie se joue peut-être dans cet ennui et cette fuite, qui, en retardant sa carrière, l'empêcheront d'avoir, en 1814, à la chute de Napoléon, une situation inexpugnable. Il lui restera alors l'Italie, pour y «noter les sons de [son] âme par des pages imprimées».

«Quel est mon but ? D'être le plus grand poète possible»

De 1802 à 1806, entretenu sans mot dire par son père (cent cinquante puis deux cents francs par mois, assez pour vivre, pas assez pour s'habiller en dandy et

Helvétius (1715-1771), l'un des héros du panthéon intellectuel de Stendhal, est un philosophe matérialiste, rendu célèbre par son livre *De l'esprit* (1758), que le pouvoir royal l'obligea à rétracter. *De l'homme*, qui en est un commentaire élargi, ne paraît qu'en 1773. Mme Helvétius tint jusqu'en 1800 un salon réputé.

masquer sa laideur), l'ex-mathématicien va tenter de conquérir la gloire par la plume. Tout naturellement, comme tant d'autres depuis le XVIIᵉ siècle, il escalade puis dévale l'échelle des genres nobles : l'épopée (une *Pharsale*!), la tragédie, la comédie en vers. Mais que faire, quand il faut six heures pour accoucher au forceps deux vers et demi

huelle horreur !

l'Ami du Despotisme pervertisseur de l'opinion publique.

Comédie en 1 acte et en prose

(24 mai 1804)? Eh bien, *Letellier*, une comédie en prose, qu'il traîne jusqu'en 1830, et jusqu'à Moscou, inlassablement inachevée.

Il avale des livres de philosophie (Hobbes, Condillac, Helvétius, Destutt de Tracy, Maine de Biran), de critique littéraire, de littérature (Shakespeare, Corneille, Molière, Alfieri, sans cesse relus et commentés; Retz et Saint-Simon, en tête des mémorialistes, pour voir le monde sans chimères). Shakespeare et Saint-Simon, le sublime et le fait sec,

Passionné de théâtre, avide de conquérir la gloire en quelques actes, Henri Beyle fréquente assidûment le Théâtre-Français (ci-dessous), enfin logé à neuf à la fin de l'Ancien Régime. Amateur méfiant des tragédies politiques, Napoléon réservera le monopole du théâtre parisien à huit troupes, soit moins qu'en 1789 ! Qu'eût-il pensé de ce sujet de comédie peu flatteur, conçu par Beyle vers 1804 ?

Aucune pièce créée sous l'Empire n'est plus jouée aujourd'hui. Mais les acteurs, adulés et stimulés par un public de connaisseurs, furent exceptionnellement brillants. Dans la rivalité acharnée qui opposait la superbe Mlle George (1787-1867) à Mlle Duchesnois au physique plus ingrat (1777-1835), Beyle soutint ardemment cette dernière, contre le redoutable critique Geoffroy (1743-1814), qui distribue (ci-dessous) les lauriers en buste et en soutane.

voilà les deux pentes du goût stendhalien. Il hante les théâtres, dissèque les pièces et les acteurs (jamais la mise en scène, encore sans statut), imagine des scénarios.

Il s'étonne parfois, et nous avec lui, du contraste qu'il constate entre son acuité intellectuelle, son imagination, sa sensibilité («*I am Great*», écrira-t-il en décembre 1811, en le pensant très tôt) et

l'incapacité de produire la moindre œuvre achevée. On a incriminé sa méthode : descendre des principes abstraits (qu'est-ce que le rire ? qu'est-ce que l'homme ?) vers la pratique (comment écrire sa comédie ?). Or ce qui le paralyse, ce n'est pas la théorie, mais de s'être trompé de genre. Il attend tout du théâtre, tremplin des gloires immédiates, et s'intéresse peu au roman, auquel il ne viendra qu'en 1827. Moderne dans ses goûts, mais moins qu'on ne l'a dit (ni Shakespeare, ni Corneille, qui l'enthousiasment, ne manquent de partisans, et il ignore tout de l'Allemagne sans s'en porter plus mal), il ne l'est pas du tout dans son plan de carrière.

L'échec est radical. Cet incomparable analyste de son cœur, ce percutant lecteur, s'est totalement trompé sur l'essentiel, c'est-à-dire sur lui-même, sur ses dons.

«M'occuper uniquement [...] de ce plan de beau idéal for my conduct, qui n'est qu'une suite des principes de l'art comique»

En réalité, ces quatre années de mécénat paternel sont décisives, et pas seulement parce qu'il se forge une formidable culture et une esthétique singulière, provocante, irréductiblement hostile aux grandes phrases, à l'emphase, aux postures d'un Chateaubriand ou d'une Mme de Staël, enfants de Rousseau, de Gœthe et de Bernardin de Saint-Pierre. On ne comprendrait rien au *Journal* (qu'il tient depuis Paris, mais qui ne trouve sa vraie respiration qu'en

Germaine de Staël (1766-1817) appartient, comme Chateaubriand (1768-1848) et Napoléon (1769-1821), à la génération qui précède Stendhal. Au moment où, en 1800, on la représente ainsi en conférence, elle vient de faire paraître *De la littérature*, vaste panorama, historique et philosophique, des rapports de la littérature et de la société. Cette grande femme a toujours suscité, chez Stendhal, estime et exaspération.

Rousseau et Voltaire, les deux frères ennemis des Lumières, continuent, sous l'Empire, leur combat. Du côté de Rousseau, les cœurs sensibles, mélancoliques, rêveurs ; les malheureux, les déshérités, les orphelins – tous ceux que la vie blesse et déçoit, comme le pauvre *René* (1802) de Chateaubriand, le regard tourné vers le ciel où brille le génie du christianisme (ci-dessous). Stendhal ne supporte pas plus le vicomte de Chateaubriand que la baronne de Staël, mais il n'est pas pour autant un voltairien à la manière des Idéologues (Cabanis, Destutt de Tracy, Volney), ses maîtres à penser.

mars 1804), rien à la démarche de Stendhal, si l'on oubliait un instant que pour lui, lire, écrire et vivre ne font qu'un. Lire un livre, qu'il soit d'histoire, de philosophie, de fiction, c'est immédiatement l'éprouver à l'aune de son expérience du monde, le convertir en art de vivre, en sculpture, en culture du moi. Car Henri Beyle ne veut se connaître que pour mieux se réformer, s'aguerrir pour le combat social et la chasse au bonheur. Fasciné par Alceste, par Hamlet, héros de la présence malheureuse, du déchirement, il cherche de toutes ses forces, jour après jour, dans les livres, dans le monde, près des femmes, à alléger sa souffrance, à s'endurcir, à commercer avec les hommes tels qu'ils sont, au lieu de les fuir au «pays des chimères», au paradis romanesque des belles âmes.

Il faut guérir «Mr. Myself»

Quand donc il réfléchit inlassablement sur le rire, sur le comique, il n'est pas seulement un auteur en panne d'inspiration. Il s'engage

LE MISANTHROPE

tout entier dans une bataille philosophique, sociale, existentielle. «Quel est le but d'un homme de société ? De produire le comique», car pour plaire aux autres, «il faut absolument se rendre amusant». Donc savoir éviter le sérieux pathétique, la sincérité douloureuse, savoir porter le masque tout en cultivant son «esprit naturel», pratiquer l'ironie gaie, se maîtriser sans se renier... N'être ni Jean-Jacques ni Werther, ni Alceste ni René – victimes et dupes de la mélancolie faute de connaître quelques principes du «beylisme», ou art de guérir «Mr. Myself», qu'il élabore au cours de cette décennie. Long apprentissage du monde et de soi-même, que tous ses héros pratiqueront après lui, et qu'il tente inlassablement, dans ses lettres, d'inculquer à Pauline, la mélancolique, l'âme sœur, dont il se voudrait le père, le frère, le maître, l'ami – peut-être plus.

Les batailles du beyliste

Romantique, Henri Beyle ? Peut-être, comme une part sublime et nostalgique de soi, qu'il faut nourrir en secret pour ne pas devenir une «âme sèche», une âme morte – mais qu'il faut aussi soigner pour ne pas mourir au monde. Cela porte un nom : non pas vraiment le

Ouvrages possibles, comédie !

l'homme du monde, modèle des l'homme du monde notre siècle d'action sujet à face vers, ou au moins en prose.

les faux nécromans 5 Actes.

l'homme qui croient d'être gouverné 3 actes, prose

C'est Jean-Jacques Rousseau qui, en 1758, dans sa fameuse *Lettre à d'Alembert sur les spectacles*, a instruit le procès de Molière, accusé d'avoir ridiculisé le vertueux misanthrope, Alceste, au profit de Philinte, raisonnable comme un coquin ! On ne pouvait mieux cerner un problème central de la fin des Lumières et du romantisme : les rapports de l'individu et de la société, de l'idéal et du réel. Hegel définira précisément le roman comme le passage du rêve juvénile, de la poésie du cœur, à la prose de la vie adulte.

La grandeur de Beyle-Stendhal est sans doute de ne sacrifier ni Philinte ni Alceste, ni les exigences de la société ni les appels du rêve, dans sa vie et dans son œuvre. Mais en 1804, cette dernière se réduit encore à une liste d'«ouvrages possibles».

romantisme, cette «maladie», comme l'appelle Gœthe, mais «le principe de perfectibilité», principe majeur de cette fin des Lumières d'où vient la philosophie d'Henri Beyle.

Le projet beylien de vivre en «beyliste» suppose donc de connaître la société et les hommes, de se connaître soi-même. On ne peut transformer le monde et les autres (seule l'Histoire s'en charge), mais on peut tenter de se changer pour tirer de sa vie le plus de plaisir possible. Pour ne pas se blesser sur les sots, les indifférents, les cœurs froids, il faut faire la part des choses, s'ouvrir aux rares âmes tendres, se cacher aux autres. (Stendhal passe très tôt pour un cynique, un esprit immoral et sans générosité. Il y a du «roué», du libertin, du Valmont en lui, du Neveu de Rameau en habit de dandy). Le beyliste est un acteur. Alors s'engage, sur l'échiquier de la vie, entre moi et les autres, entre moi et moi, une partie quotidienne qui vaut toutes les batailles impériales. Napoléon du moi, Beyle accumule chaque jour, dans son *Journal*, sans le savoir, la matière et les questions de ses futurs romans : victoires et échecs du moi sur les chemins de l'ambition et de l'amour.

Dès la Restauration, après Waterloo, alors que libéraux et monarchistes dénoncent l'Ogre et le Tyran, Stendhal se fera avant tous le chantre de l'Empereur déchu. Mais qu'en est-il auparavant ? Paraît-il vraiment fasciné, lui le jacobin, le républicain, par le sacre impérial du général-consul ? Absolument pas, comme en témoignent *Letellier*, satire du nouveau régime, et son *Journal*, qui dénonce l'alliance de la religion et de la tyrannie. Et l'on a toutes les raisons de croire qu'il eut de la sympathie pour la conspiration républicaine du général Moreau. Le culte de l'Empereur fut, comme l'œuvre, long à venir.

Amours de tête, amour-passion

Chimères du contrôle de soi. En vérité, Henri Beyle rêve, comme il rêvera toute sa vie. Il rêve à Victorine Mounier, à peine croisée à Grenoble, et maintenant à Rennes. A qui il s'imagine faire sa cour en écrivant...

Pendant la Terreur, Henri obtint de son père avare des «caractères mobiles percés dans une feuille de laiton». Il dessine le B dans *Henry Brulard*.

à son frère (quatorze lettres expédiées à Edouard, du 6 juin 1802 au 26 juin 1804)!

Amour-passion, déchirant, délicieux, silencieux, «amour de l'amour», dit-il lui-même, réflexion de tout amour, fixé sur un objet inaccessible, adoré, idéalisé. Rien de tel avec Mélanie Guilbert («Louason»), actrice débutante âgée de vingt-cinq ans, l'une des deux femmes avec qui Stendhal aura jamais vécu quotidiennement, conjugalement. Il la rencontre en décembre 1804 à Paris au cours d'art dramatique de Dugazon, et commence par ne même pas remarquer ses «yeux bleus immenses», sa «figure grecque», son port gracieux. Parce qu'elle est réservée, mélancolique? Non, car lui-même se bat et se battra toujours contre une affreuse, une paralysante timidité. Puis l'idée chemine : «J'ai reconduit Louason chez elle ; j'ai presque envie de m'attacher à elle, cela me guérira de mon amour pour Victorine», note-t-il le 3 février 1805.

«H, H, H, H à huit heures du soir»

Alors commence, au fil du *Journal*, le plus extraordinaire récit d'amour jamais écrit avant lui, jalonné d'exhortations à l'«avoir», de fiascos, de mépris, de dépit, de jalousie, de tendresse, de passion, de pitié, d'amitié. Mais le théoricien du libertinage, l'expert en balistique féminine et chute des corps ne parviendra jamais à l'«avoir», avant qu'engagée au Grand-Théâtre de

Victorine Mounier (1783-1822), qu'il appelle aussi Charlotte, Eudoxie, Héloïse, à qui il rêve sans oser lui écrire directement, se marie en 1810.

Dugazon (Jean-Baptiste-Henri Gourgaud, dit) (1746-1809) débuta au Théâtre-Français en 1771 et mena une belle carrière d'acteur comique. On le voit ici en Sganarelle du *Don Juan* de Molière, dans la tirade du tabac.

Marseille – où il la rejoint –, elle lui ouvre enfin ses bras : «H, H, H, H à huit heures du soir», exulte le *Journal* du jeudi 6 thermidor an XIII (25 juillet 1805). H(osanna) ou H(appy)? Mais non! C'est le 29, nous dit-on, qu'ils s'enlacent enfin, «for ever». «H, H, H, H» ne chanterait que la joie de la revoir! Mélanie quittera Marseille le 1er mars 1806, ayant perdu son rôle et son amant, qui, tout bien réfléchi, la trouve bête, tyrannique et geignarde.

En 1806, il ne peut plus se le cacher, le bilan est amer : triste fin de sa liaison avec Mélanie; impuissance littéraire; déconfiture financière, malgré un essai de percée dans la banque et le commerce qui l'avait – aussi – retenu un an à Marseille, de juillet 1805 à mai 1806 (c'est bien entendu la faute-au-père, appelé «le bâtard», qui n'a pas honte de refuser à son fils le capital nécessaire à son succès, de l'étrangler).

L'intendance suit

Défaite de l'amour, de la gloire, de l'argent. Reste l'ambition. Il faut donc se tourner vers Pierre

En accompagnant Mélanie Guilbert à Marseille, Henri Beyle n'obéissait pas qu'à son cœur, comme il le lui laissa croire par un pieux mensonge amoureux. Il avait déjà eu l'idée d'y devenir banquier, en s'associant à son camarade Fortuné Mante. Encore fallait-il, pour fonder «la Maison Mante, Beyle et Cie», que son père lui prêtât trente ou quarante mille francs : mais il ne voulait ni ne pouvait les donner, lancé qu'il était dans des spéculations agricoles. A Marseille, l'aspirant banquier dut se contenter de tenir les comptes.

Au Grand-Théâtre de Marseille, Louason-Mélanie dut très vite déchanter : son jeu discret et sa voix insuffisante ne convenaient pas aux effets méridionaux et appuyés qu'on attendait d'elle. Toute sa vie (1780-1828) semble placée sous le signe d'une profonde mélancolie et d'échecs sentimentaux répétés : fille-mère en 1798 ; mariages malheureux en 1803 et en 1810 ... Elle mourut désespérée, en s'efforçant de déshériter ses deux filles. On la devine derrière *Lamiel*.

Daru, intendant général de la Grande Armée, qui ne manque pas de se faire tirer l'oreille. Mais comment pourrait-il se dérober, même dans la France révolutionnée, aux solidarités familiales savamment mobilisées ? Le 16 octobre 1806, le poète avorté suit Martial Daru, frère de Pierre, en Allemagne, pour servir l'Empereur et son intendance. Comme

en 1800 (Pierre Daru tient à ce rappel), il part en habit civil, sans grade ni emploi. Mais cette fois, plus question de démissionner parce qu'on s'ennuie. Henri Beyle a un but : reconquérir Pierre Daru pour devenir auditeur au Conseil d'Etat, marche-pied des grandes fonctions administratives.

Martial et Henri, en bons cousins, entrent le 27 à Berlin, derrière Napoléon qui vient d'écraser les Prussiens. Et Beyle reçoit sa juste part de la victoire : le 29, il est nommé adjoint aux commissaires des guerres et envoyé à Brunswick, où il arrive le 13 novembre. Il travaille ferme, car les bureaux de Paris ne plaisantent pas sur les comptes («Toujours et toujours de l'argent»), et découvre que l'ennui résiste à tout : «J'ai ici ce que j'ai souvent désiré et les choses au manque desquelles j'attribuais mon ennui»… Que faire ?

A Brunswick, l'intendant soupire en vain après Mina de Griesheim (page de droite), et met au point quelques parades : «Remède souverain contre l'amour : manger des pois» ; «pincer les cuisses à Mlle d'Oehnhausen» ; coucher «tous les trois ou quatre jours pour les besoins physiques, avec Charlotte Knabelhuber, fille entretenue» par un riche Hollandais.

Fréquenter la bonne compagnie qui parle français ; jouer au touriste ; se moquer des Allemands ; chercher la femme. Mais s'il tombe éperdument amoureux de Wilhelmine de Griesheim (blondeur et santé germaniques, hélas promises à un autre !), s'il n'oubliera jamais «Mina», il sait aussi trouver des bras plus accueillants.

«De Beyle», auditeur au Conseil d'Etat

Il quitte Brunswick en novembre 1808, passe quatre mois à Paris, avant de suivre sous les ordres furieux de Pierre Daru la campagne contre l'Autriche qui, menée d'avril à mai 1809, allait se conclure à Wagram. Pierre Daru ne le ménage pas : «Il faut

A défaut de blessure, qu'on n'exige pas des administrateurs, Beyle peut conserver, après «la campagne d'Iéna», un petit Horace percé par une balle : «Ce volume ne m'a pas quitté et je ne l'ai guère lu.»

Coiffures et maisons de Brunswick (page de gauche) sont extraits du *Journal*. «Cette langue allemande est le croassement des corbeaux.» Et «quelles femmes! des pièces de bois». En-bas de page, dessin d'un incendie aux environs de Brunswick, dans une lettre à Pauline (1808).

mener les jeunes gens avec des verges de fer, c'est le seul moyen d'obtenir des résultats.» La maladie l'empêche d'assister à la bataille de Wagram (cinq cent mille hommes, cinquante heures), mais, comme commissaire des guerres chargé du logement, des hôpitaux, etc., il a pu, à l'arrière immédiat des premières lignes, voir l'envers du décor, engranger l'expérience qui autorisera, dans *La Chartreuse de Parme*, la célèbre description de Waterloo.

Après un séjour à Vienne, il obtient enfin, le 1er août 1810, le titre convoité d'auditeur, et devient inspecteur du mobilier et des bâtiments de la Couronne. L'inventaire du musée Napoléon (le Louvre) lui donne accès à l'histoire de l'art, une de ses prochaines passions et premières productions littéraires.

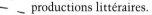

Dans le coquet appartement parisien qu'Henri de Beyle, auditeur et dandy, partage avec son ami Pépin de Bellisle, rue Neuve-du-Luxembourg (actuelle rue Cambon), on trouve sur les murs un portrait de Mozart et le *Bain de Léda*, du Corrège (vers 1489-1534), le peintre dont la volupté pleine de grâce touche au plus intime de son cœur. Si l'*Histoire de la peinture en Italie*, dont l'idée lui vient en 1811, avait été achevée, c'est dans le chapitre sur le Corrège que Stendhal aurait exprimé ses véritables goûts en peinture. Le Corrège, peintre de l'amour, est en effet sans rival, puisque l'amour est le sentiment moderne par excellence, inconnu, selon Mme de Staël et Stendhal, des arts antiques.

TO MILADY ANGELA

De janvier 1810 à août 1811, Henri, qui se dit désormais *de* Beyle, accomplit son programme : «Paris, auditeur, huit mille livres de rente, répandu dans le monde du meilleur ton et y ayant des femmes.» Bel appartement, calèche, dettes, habits de dandy, projet d'un mariage bien doté mais lié à l'obtention d'un titre de baron (l'ignoble père fait évidemment capoter l'affaire, faute de capital), une jolie, douce et aimable maîtresse, Angelina Bereyter, qui lui chante Cimarosa et Mozart à domicile sans parvenir à se faire aimer.

«Il Chinese!»

Quant à la partie sublime de l'âme, elle rêve à n'en plus finir de la femme de Pierre Daru, Alexandrine, épouse et mère... Hélas! «Il y a peu de romanesque et de mélancolie dans ce cœur; elle essaie gaiement la vie à mesure qu'elle vient.» Trop beyliste sans le savoir, Alexandrine Daru? Alors il part en Italie, le 29 août 1811. Car «il me faut aimer et être aimé, […] ce bonheur d'habit et d'argent ne me suffit pas».

Lorsqu'il frappe, volumineux et superbement laid, à la porte d'Angela Pietragrua et se rappelle à elle, elle s'écrie: «C'est le Chinois, *il Chinese*!» Lorsqu'il lui révèle sa passion juvénile, elle

Conçue dans le voisinage exaltant d'Angela Pietragrua, l'*Histoire de la peinture en Italie* lui était primitivement dédiée. Selon son habitude, Stendhal dissimule le patronyme de la femme aimée, qu'il abrège ici en G pour (Pietra) Grua.

Louis Crozet (1784-1858, à gauche), un de ses plus anciens et intimes amis, est chargé, à Paris, de surveiller l'édition de l'*Histoire de la peinture*, d'insérer les incessants rajouts envoyés de Milan, de traduire les notes ou d'en faire («Agis, décide, finis»). Lui et Henri Beyle projettent, vers 1810, un ouvrage commun sur l'économie politique, science qui se constitue à la fin du XVIIIe siècle.

the Boock

Influence de la Richesse sur la population et le bonheur. (A)

Gs'exclame : «Pourquoi ne me l'avez-vous pas dit alors?» «Sibylle sublime», «terrible de beauté surnaturelle»! Et le 21 septembre 1811, la veille de son départ (il est arrivé le 7), au terme d'un parcours réglé comme un ballet de la Scala, Angela Pietragrua laisse *il Chinese* remporter son mémorable triomphe, dix ans après… «Après un combat moral fort sérieux», ajoute-t-il très sérieusement dans le *Journal*. Et sur ses bretelles, mémorial plus laconique, il inscrit : «21 septembre 1811, onze heures et demie du matin.» Ah! le beau pays!

Memoirs of my life during my Amour for gräffin Palfy

Paris-Moscou-Paris ou le courage du pékin

L'Empereur rêvait d'un autre pays, et le 23 juillet 1812, chargé et Henri pour la il emporte toujours et chantier, derrière la Grande Armée, de lettres officielles encombré de paquets, *de* Beyle part en calèche Russie. Pour se désennuyer, l'inévitable *Letellier*, imperturbablement en et le volumineux manuscrit d'une nouvelle œuvre, l'*Histoire de la peinture en Italie*, dont l'idée lui est venue en attendant la Pietragrua. Les cosaques, fins lettrés, ne laisseront repartir que *Letellier*!

David, qui la peint ici en 1810, avait-il pour la comtesse Alexandrine Daru (1783-1815) les mêmes yeux qu'Henri Beyle? Mᵐᵉ Z., lady Palfy, etc., qui, mariée en 1802, donna huit enfants à Pierre Daru, dont sept survécurent, ne cessa de hanter la mémoire de son cousin. Dans le survol de sa vie, à l'ouverture de *Henry Brulard,* Stendhal écrit : «La plus grande passion est à débattre entre Mélanie 2, Alexandrine, Métilde et Clémentine 4» (les chiffres indiquent l'ordre chronologique). Alexandrine fut, ajoute-t-il aussi, la plus riche de ses passions : «son mari et elle surtout dépensaient bien 80 000 francs par an»!

Il verra Smolensk en flammes, puis Moscou incendié (il n'y dérobe, symbole éloquent, qu'un volume de Voltaire : *Facéties*), la misère, la saleté, la grossièreté soldatesque, l'horreur généralisée, puis l'affreuse débâcle de la Grande Armée, affamée, gelée, harcelée par les cosaques, les pillards, disloquée par la panique. L'épopée infernale de la retraite de Russie, morceau obligé de la littérature à venir, nous est donnée ici sans accent épique, dans son atrocité sèche, par petits détails, sans phrases, sans emphase, à la Saint-Simon, au jour le jour, dans son *Journal* et dans des lettres qui ont tout traversé. Et l'on constate alors que le pékin d'intendance, que le beyliste chasseur de bonheur, que le dandy fou de musique, que l'amoureux de peinture italienne, que le gros homme au ventre glouton, supporte virilement la tourmente qui a a eu raison des courages les plus fiers.

Comme quoi le beylisme sert aussi à affronter l'épreuve des limites extrêmes, des ultimes ressources. De son jeune cousin Gaëtan Gagnon (1792-1812), «pleurant et regrettant sa mère», qui se laisse sombrer, malgré le cheval et les dernières bottes de Pierre Daru, il dira simplement : «Il n'avait pas toute la résolution désirable [...]. Moi, je me suis sauvé à force de résolution; j'ai souvent vu de près le manque total de forces et la mort.» Au bord du gouffre, il lit Mme du Deffand et Voltaire, se rase par −20°, et passe la Berezina avant la cohue. Il a

L'incendie de Moscou, en septembre 1812, accidentel ou organisé, précipita la débâcle de la Grande Armée. Arrivé devant les ponts de la Berezina, Beyle eut l'intelligence et l'énergie, malgré la fatigue, de traverser sans attendre le lendemain. L'administrateur (ci-dessus, ses boutons) avait du cran, et l'auteur de *Letellier* de la suite dans les idées (cahier ci-dessous).

Ceci est la moitié du Cahier sur lequel je travaillais à Moskou. j'ai égaré l'autre moitié depuis 8 jours. Milan 10 Avril 1816.

«vu et senti des choses qu'un homme de lettres sédentaire ne devinerait pas en mille ans», comme ce terrible hôpital aux fenêtres bouchées par des cadavres gelés.

Le SÉNATEUR Comte de l'Empire, Commandant de la Légion d'Honneur, Grand-Croix de l'Ordre Impérial de la Réunion, Commissaire extraordinaire de Sa Majesté,

Aux Propriétaires et Habitans de toutes les classes de la 7.ᵉ Division militaire.

Le Comte de SAINT-VALLIER.

Chute de la calèche et de l'Empire

L'Auditeur au Conseil d'État,

de BEYLE.

Le 31 janvier 1813, il se réchauffe dans les bras d'Angelina Bereyter, amaigri, apathique, et bizarrement privé de toute récompense officielle. Le 19 avril, un ordre l'oblige à gagner l'Allemagne, où la guerre reprend, et d'où la maladie le chasse. Il va se «mettre en espalier» à Milan (de septembre à novembre), et se voit affecté en décembre à la défense de Grenoble – défense impossible, dans l'effondrement de l'Empire, mais qui engloutit ses forces. Il regagne Paris fin mars, assiste au retour des Bourbons, perd son poste (on supprime le corps des auditeurs), et se retrouve sans emploi malgré son ralliement à la monarchie.

Les rouentes tactiques de Napoléon pendant la campagne de France, en 1814, pas plus que l'énergie de l'auditeur Beyle, chargé de la défense de Grenoble, ne pouvaient rien contre la supériorité numérique étrangère. Le 31 mars, Marmont capitule à Paris et les coalisés envahissent la capitale. «Qui le croirait ! [...] la chute me fit plaisir.»

C'est la fin de ses ambitions de carrière, de ses rêves de luxe. «Culbuté de fond en comble», il liquide tout, écrit un livre sur la musique, pour oublier (méthode beyliste), et décide d'aller vivre en Italie, deux fois moins coûteuse, sa nouvelle condition de laissé-pour-compte des fastes impériaux. C'est sa deuxième retraite de Russie, moins dramatique, mais aussi résolue. Ou sa deuxième campagne d'Italie.

Ses héros aussi devront apprendre l'art du retrait et la perte de ambitions.

Stendhal peut apparaître.

À Milan, son cœur se brise sur deux rêves de femmes : la femme trop offerte, trompeuse et vénale ; la femme hautaine et inflexible. Mais il devient auteur, sous les noms de Louis-Alexandre-César Bombet, puis de M.B.A.A., enfin de M. de Stendhal, officier de cavalerie. Le *Journal* s'étiole. Place aux livres, cristal de la vie.

CHAPITRE III

RENAÎTRE À MILAN
(1814-1821)

Milan (à gauche), capitale de la Lombardie autrichienne, et Stendal (ci-dessous), petite ville allemande à laquelle Stendhal emprunte son nom en lui rajoutant un H.

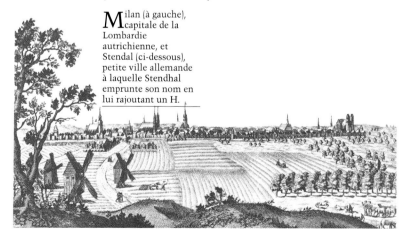

Direction générale de la Police du Royaume.

Paris, le 31 mai 1814.

Rapport sur M. de Beyle

C'est un gros garçon, né à Grenoble

Blanc,

Les bêtises de la sensibilité

Quand l'Europe française s'écroule, quand sa vie change du tout au tout, que fait, que pense le beyliste expert en conseils de bonheur ? Il se jette et s'oublie dans le travail : du 10 mai au 30 juin 1814, il rédige, à coups de plagiats, son premier livre, *Vies de Haydn, de Mozart et de Métastase*. Le 3 juillet, chassé de son coquet appartement, il se retrouve «dans une chambre très commune d'hôtel garni (rue du Mail, n°27)». Avec joie, note-t-il, non sans fierté, dans son *Journal*.

Mais il constate aussi que, tel Alceste, il souffre trop de la conduite des autres, du regard des «gredins», unique cause de ses chagrins. En Italie du moins, au milieu d'inconnus, il ne serait plus sensible «à ces bêtises-là», il pourrait cacher sa vie. «Vivre ici dans une demi-misère m'est impossible aujourd'hui, lié comme je suis, presque seulement avec des gens riches.» Une des toutes dernières notations parisiennes du *Journal* dit ceci : «Je suis blasé sur Paris, nullement

"Je suis tombé avec Napoléon» : maigre consolation quand on a 37 000 francs de dettes et un père solide. Beyle sollicite un poste en Italie auprès du comte Beugnot, chargé de la police, et rédige lui-même le rapport le concernant : «C'est un gros garçon, né à Grenoble, âgé de 31 ans [...]. Ses connaissances sont : MM. Crozet, Faure, de Bellisle, de Barral, de Mareste, de Courtivron, Mure. [...] Il va beaucoup au spectacle et vit toujours avec quelque actrice», etc.

Son camarade Louis de Barral (1783-1859, à gauche), cité comme une relation convenable, appartenait à l'aristocratie grenobloise. Stendhal le nomme parfois le vicomte, ou encore Tencin.

en colère. J'étais bien dégoûté du métier d'auditeur et de la bêtise insolente des puissants» (4 juillet). Le cœur d'Henri Beyle est comme déjà presque apaisé par la débâcle, presque avide de renoncer aux choses qui l'abandonnent.

Il quitte Paris le 20 juillet, sans attendre davantage et sans plus rien demander : «Trente mille nobles qui ne savent rien faire affluent par toutes les diligences pour tout demander.» Le 10 août, il est enfin à Milan, qu'il orthographie «1000» dans son *Journal*. Milan où l'attend la sublime Angela, aimée dès 1800, conquise en 1811, revue en 1813. Milan d'où il déclare, péremptoire : «Plus d'*happiness for me without* travail.»

Les auberges italiennes comptent beaucoup dans la vie de Stendhal, célibataire toujours à court d'argent et très strict dans ses comptes. Le 13 octobre 1814, il note par exemple dans son *Journal*, à Florence : «Je dîne à 32 *crazie* à l'auberge italienne à côté du Palazzo Vecchio. Logement, 3 *pauls* ou 33 sous.»

«Faut-il que mon bonheur dépende des femmes!»

Mais là aussi, la déroute de Napoléon change le sort du pays et les destinées individuelles. Angela Pietragrua n'avait que trop brillé, depuis 1800, auprès des Français. Qu'avait-elle maintenant à gagner en s'affichant avec un ex-fonctionnaire impérial, sans ressources, sans avenir, sans statut? Sauf à l'imaginer agent occulte du gouvernement français : on n'y manquera pas, du côté des policiers autrichiens comme de leurs adversaires, les libéraux italiens. Fou d'elle et entiché de fidélité, ne voilà-t-il pas qu'il lui propose aussitôt – puisqu'ils s'aiment – d'habiter Venise ou toute autre ville, grande ou petite! Beau programme, pour une femme habituée aux liaisons parallèles et dotées!

Angela est peut-être touchée, sans doute embarrassée, certainement pas à court d'idées. Dès le 22 août, il communique à sa sœur Pauline ce premier bilan : «Je crois que ce pays-ci me conviendra; seulement la présence des Français a excité de telles jalousies dans la société de Mme Simonetta [Angela], que je suis obligé, pour ne pas trop la compromettre, d'aller passer deux mois à Gênes.» Le 28 août, il formule un diagnostic nettement plus précis : «Je ne puis être juge de la haine qu'on a contre le Français, [car] ce n'est qu'à elle qu'on a osé la témoigner. Je puis donc avoir des soupçons et la croire inconstante; c'est ce que je viens d'avoir la liberté de lui dire : de là, des larmes, une scène…» Il part le 29 août, visite Gênes, Pise, Florence, Bologne, Parme, et revient le 13 octobre.

Le 10 avril 1814, le peuple milanais venait de massacrer à coups de parapluie le comte Prina, ministre des Finances du royaume d'Italie encore sous direction française. C'est à ce meurtre qu'Angela Pietragrua fait allusion pour justifier sa froideur à l'égard de Beyle. Au plus fort de sa crise sentimentale, le 24 décembre 1814, celui-ci songe au suicide et rédige un testament en faveur de «M. Félix-Désiré Faure, de Grenoble» (1780-1859, en haut, à gauche). Ce «Best friend», deviendra pour Stendhal l'incarnation du carriériste sans âme ni caractère. Il prendra part en effet à la répression sanglante d'un complot contre la Monarchie de Juillet en 1834-1835.

C'est en souvenir de leur visite, en 1811 à la villa Simonetta, célèbre par son écho

Le voile noir des amours défuntes

Il rencontre «lady Simonetta» le 16. Elle lui dit «que l'illusion est détruite», qu'il faut la comprendre «à demi-mot», qu'il était «ce qu'elle aimait le mieux», mais qu'il ne faisait «rien pour être aimé», que l'ennui le chasserait en France... Lui se demande : «Tout cela est-il réel ?», conclut qu'elle est «fort jolie sous son voile noir», et songe à «finir, comme un jocrisse, par un coup de pistolet». Mais il préfère attendre le rendez-vous du lendemain, sans oser non plus lui parler de son projet d'une... pension annuelle (preuve qu'il entendait «à demi-mot» et faisait quelque chose «pour être aimé» ?). «Tout troublé et tout malheureux», il ne voit «guère qu'un accès de travail [pour] faire passer ce détroit de malheur.» Le 19 décembre, il se dit «*mad by love*» pour Simonetta ; puis, du 22 décembre au 6 janvier, il est tenté de «dire bonsoir à la compagnie». Quelques jours plus tard, ses «*affairs of love* vont mieux». A condition de partir : «Mᵐᵉ Simonetta m'a représenté qu'il fallait faire une absence. Elle a ajouté qu'«un vainqueur de Moscou *to* ne craignait

répétant cinquante fois un coup de pistolet, qu'Angela Pietragrua devient souvent, sous la plume de Stendhal, *lady Simonetta.*

Par prudence devenue manie, Stendhal dissimule toujours les noms propres et multiplie les pseudonymes d'une même personne. La comtesse Alexandrine Daru bénéficie d'au moins trente identités ! Lorsqu'il apprend sa mort, le 14 janvier 1815, il envisage de lui dédier, à la place d'Angela, l'*Histoire de la peinture en Italie*. Mais il ne parvient pas à retrouver le vers exact du poème de Gray (*Elégie sur un cimetière de campagne*) qui lui remonte à la mémoire, et le laisse en suspens.

the everlasting Memory

of Milady Alexandra Z.

even in our ashes lives

pas le froid» et pouvait faire un tour à Grenoble; «que cela nous épargnerait une séparation, quand une fois nous serions établis à Venise». Il obéit... jusqu'à Turin.

ROME, NAPLES ET FLOREN[C]

«She has five or six lovers»

La liaison se traîne à travers 1815, à deux cents francs par mois. Le 26 juillet, à Padoue, elle le reçoit «avec tout le naturel possible et un grand fond de tendresse [...]. Si cette franchise se mettait entre nous, je n'aurais plus rien à désirer.» Mais tout retombe dès le lendemain : «*I have had her, but* elle a parlé un peu de nos arrangements. Il n'y avait plus l'illusion d'hier matin. J'y étais sans plaisir.» «L'amour est tué le 15 octobre 1815», écrit-il sèchement dans son *Journal*. A quoi fait écho la lettre de rupture d'Angela, le 1er décembre. «A partir de ce moment nous sommes morts l'un pour l'autre!» Mais sur cette lettre fort digne, on lit ceci, annoté de la main de Beyle : «Congé. 1er décembre 1815. Coûte quatre mille francs. Coûte quatre mille francs de plus qu'une danseuse ordinaire à deux cents francs par mois»... Elle aurait même menacé de le dénoncer à la police... La «sybille sublime» de 1811 est devenue «catin sublime» – et qu'importe l'amant si, plus tard, le romancier de *La Chartreuse*, pardonne et recompose...

Par M. de Stendhal, OFFICIER DE CAVALERIE.

EN 1817.

Il y a, en 1817, dans le choix du pseudonyme, une intention sans doute ironique, car ni le nom germanique de l'auteur, ni sa fonction, n'évoquent pour Henri Beyle une particulière finesse d'esprit. En 1816, il s'amusait déjà à mystifier l'illustre Byron (ci-dessous) en lui contant des anecdotes imaginaires sur Napoléon.

Il ne faut jamais revenir sur le lieu de son *dream*, aurait-il pu dire dans le sabir franglais et crypté du *Journal*. Mais ce maître de la narration romanesque ironique ne retourne jamais l'ironie contre lui. On ne plaisante pas avec le bonheur et les aventures du moi beyliste. Aussi peut-on nourrir quelque doute à l'égard du célèbre récit de la scène de rupture, telle que la rapporte Mérimée dans *H. B. :* Beyle à la serrure, l'œil sur le lit et l'imposant objet du délit; Angela implorant ensuite et en vain son pardon à genoux tout au long d'une galerie ! Mérimée n'a sans doute pas inventé cette fanfaronnade. Elle est vraisemblablement du même tonneau que les anecdotes sur l'Empereur

avec lesquelles «M. de Beyle, ancien secrétaire du Cabinet de Napoléon» (sic), retiré à Milan, méduse un certain lord Byron, archange du romantisme qu'il tient à épater un soir d'octobre 1816. Un compagnon de Byron consignera pieusement, pour la postérité, ces historiettes «extraordinaires» : Napoléon perdant la tête à Moscou et signant du nom de Pompée des décrets ; Napoléon marchant sur la glace avec un bâton blanc sans dire un mot, pendant trois heures, aux côtés de M. de Beyle, etc. !

<u>«Je serais heureux, si je pouvais m'arracher le cœur»</u>

Et pourtant, le beyliste fait face à l'effondrement de ses rêves. Au service de Napoléon, il a appris que le moi, pour se trouver, gagne à se déplacer :

n'est-ce pas au fond des plaines russes qu'il a découvert des ressources inconnues, la force «de prendre une retraite de Russie comme un verre de limonade» ? Ne remercie-t-il pas Pierre Daru, en 1819, de l'avoir déniaisé en lui faisant voir l'Europe ? Entre la France, l'Angleterre (1817) et le reste de l'Italie, il aura passé, de 1814 à 1821, environ deux ans loin de Milan. *Rome, Naples et Florence en 1817* dira, sous la signature de «M. de Stendhal , officier de cavalerie», les curiosités du touriste beylien. Le voilà donc enfin trouvé, ce pseudonyme sans doute emprunté à la patrie de l'historien d'art Winckelmann, la petite ville de Stendal (sans h), entre Brunswick et Berlin. Il avait attribué ses livres précédents à Louis-Alexandre-César Bombet (nom burlesque dont les prénoms renvoient à Louis XVIII, au tsar Alexandre, à Napoléon), puis à M.B.A.A. (Monsieur Beyle, Ancien Auditeur).

Pour le frontispice de la réédition, en 1864, du *H.B.* de Mérimée, Félicien Rops choisit la scène gaillarde où Beyle aurait épié l'infidèle Angela Pietragrua. Quel crédit accorder à ces anecdotes ? Elles témoignent d'une certaine image de Stendhal, qu'il a manifestement voulu donner de lui-même à ses contemporains, et dont Mérimée s'est fait le propagateur complaisant. Les écrits intimes révèlent un Stendhal tendre et secret, qui ne détruit pas le Stendhal libertin.

Le lac de Côme (à gauche) et la Scala : deux lieux enchanteurs du rêve italien.

Le narrateur de *Rome, Naples et Florence*, arrivé à Milan à sept heures du soir, court aussitôt, comme Beyle en 1811, à la Scala, «à ce premier théâtre du monde», où l'on «voit à tous moments au moins cent chanteurs ou figurants, tous vêtus comme le sont en France les premiers rôles. [...] Le théâtre de la Scala est le salon de la ville. Il n'y a société que là; pas une maison ouverte. "Nous nous verrons à la Scala", se dit-on pour tous les genres d'affaires.» Les loges de la Scala étaient en effet de véritables salons qu'on pouvait même louer à l'année. C'est dans celle de Lodovico di Breme que Stendhal avait rencontré lord Byron.

Il peut aussi, chaque soir, à la Scala, de sept heures à minuit, s'enivrer de musique, de ballets, de décors. La musique, le climat, le bas prix de la vie, le *naturel* des Italiens, voilà quelques ressorts de son hymne à l'Italie, sur fond de douleur et de vide du cœur. Et même s'il affirme (à un Anglais!) que «la vie s'est retirée d'Italie avec Napoléon», où trouverait-il en France, pays de la vanité et des conventions glaçantes, la «société très gaie, très *musicante*, très foutante, où [il est] admis volontiers et sans avoir besoin de parler et de briller», qu'il rencontre au lac de Côme?

«La peinture, et les beaux-arts en général, ne peuvent fleurir que dans les pays où règne l'énergie»

A Milan, où la pauvreté n'est pas une honte, la politique (tout du moins celle des loges de la Scala) ne s'occupe pas de chiffres d'impôts : «C'est une politique héroïque [...], donc une politique qui s'accorde avec la musique et l'amour» – avec l'opéra. La politique des complots et des conspirateurs, des insurrections et des batailles, prolonge à ses yeux le moyen-âge – le moyen-âge où «il faut chercher toute l'Italie naturelle», alors que dans la France de la Restauration, dirigée par les aristocrates et les prêtres, «le parti de l'éteignoir triomphe», et qu'on y risque «l'empoisonnement par l'ignoble», la «bêtification» putride, à combattre par des purges hebdomadaires d'Helvétius et de Destutt de Tracy! Propos de verve et de rage, car, en

politique, il se déclare aussi «optimiste décidé» : ainsi, sachant que «les peuples font leur éducation», et qu'une nation n'a jamais «que le degré de liberté qu'elle force de lui donner par son éducation politique», il y a lieu de se réjouir de ce qui se passe en France, c'est-à-dire l'apprentissage du parlementarisme.

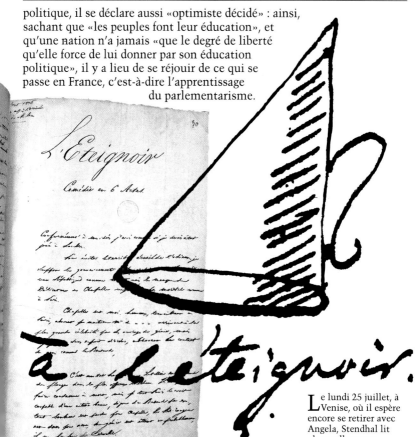

Le lundi 25 juillet, à Venise, où il espère encore se retirer avec Angela, Stendhal lit «les malheurs et l'avilissement de la France» après Waterloo. «Le parti de l'éteignoir triomphe. [...] Il ne me reste plus qu'un vœu, c'est que ces lâches habitants de Paris soient bien vexés par les soldats prussiens logés chez eux. [...] Tout ce qui se fera désormais en France devrait porter cette épigraphe : à l'éteignoir.»

Mais que le prix est lourd à payer ! «Pour quarante ans, la littérature va donc se réfugier dans les pays qui n'ont pas encore le bonheur de pouvoir appliquer à leur syphilis le *mercure* des deux Chambres. Quand la France sera guérie, la littérature y reparaîtra aussi belle et vigoureuse que jamais...» L'Italie, quant à elle, puise son énergie créatrice dans son retard politique : «La rage du Romantisme occupe ici toutes les têtes [...]. Les Italiens ne doivent aucune de leurs idées aux livres. Quelle énergie, quelle fureur, quelle *ira* !»

HISTOIRE

DE LA PEINTURE

EN ITALIE.

PAR M. B. A. A.

TO THE HAPPY FEW

TOME SECOND.

PARIS,

P. DIDOT, L'AÎNÉ, IMPRIMEUR DU ROI.

MDCCCXVII.

M. B.A.A. (Monsieur Beyle Ancien Auditeur) a beaucoup travaillé sur ce livre largement plagié et pourtant si nourri des grands thèmes stendhaliens. D'abord dédié à Angela, puis à Alexandra, il finit dans les bras d'Alexandre, tsar de toutes les Russies, dont l'auteur espérait un soutien. L'interprétation de Michel-Ange est la partie la plus originale du livre, et Delacroix admirera fort l'analyse du *Jugement Dernier* (ci-contre, un détail). Mais bien plus que Michel-Ange, génie grandiose et farouche dont la main est selon lui guidée par l'esprit de l'Inquisition, l'esprit de la religion d'alors, il préfère les artistes qui, tels Raphaël et le Corrège, engagent l'âme dans une jouissance doucement mélancolique et voluptueuse.

Marengo et Waterloo

Car c'est en Italie que Stendhal fait mine de découvrir, dans des cercles milanais et à la lecture d'une revue anglaise, l'*Edinburgh Review*, la théorie romantique, ou romanticisme, qui met, dit-il, son esprit en révolution, et qu'il exposera plus tard dans *Racine et Shakespeare*. Nulle contradiction, pour lui, contrairement aux romantiques parisiens, entre libéralisme politique et romanticisme : celui-ci est «la racine ou la queue du libéralisme; il fait dire : examinons, et méprisons l'ancien». Etre romantique, c'est être soi : «J'écris pour me désennuyer le matin; j'écris ce que je pense, *moi*, et non pas ce qu'*on* pense.»

L'*Histoire de la peinture en Italie* (1817) additionne ce qu'*on* pense (le livre est pour les deux tiers un plagiat), et ce qu'*il* pense des rapports de l'art et de l'histoire, à la lumière de ses idées sur le «beau idéal moderne», de son option napoléonienne de plus en plus affirmée, de son culte pour Helvétius et Destutt de Tracy. Esthétique et politique font dans *Rome, Naples et Florence en 1817* un mélange encore plus détonnant, plus stendhalien : «Les Italiens ont raison; Marengo avança d'un siècle la civilisation de leur patrie, comme une autre bataille l'a arrêtée pour un siècle.» Pourtant – contrairement au futur Fabrice de *La Chartreuse de Parme*, Henri Beyle n'a pas quitté l'Italie pour aller à Waterloo!

THE
EDINBURGH REVIEW,
or
CRITICAL JOURNAL:
for
JUNE 1815.....OCTOBER 1815.
TO BE CONTINUED QUARTERLY.

VOL. XXV.

EDINBURGH:
Printed by David Willison,
FOR ARCHIBALD CONSTABLE AND COMPANY, EDINBURGH; AND
LONGMAN, HURST, REES, ORME AND BROWN,
LONDON.
1815.

❝Un hasard le plus heureux du monde vient de me donner la connaissance *of* quatre ou cinq *Englishmen of the first rank and understanding*. Ils m'ont illuminé, et le jour où ils m'ont donné les moyens de lire *The Edin[burgh] Review* sera une grande époque pour l'histoire de mon esprit; mais en même temps une époque bien décourageante. Figure-toi que presque toutes les bonnes idées de *H [istoire de la peinture en Italie]*, sont des conséquences d'idées générales et plus élevées, exposées dans ce maudit livre.❞
Lettre à Crozet, le 28 septembre 1816

L a campagne napolitaine (à gauche), peinte par Corot pour un projet de décor de salle de bain.

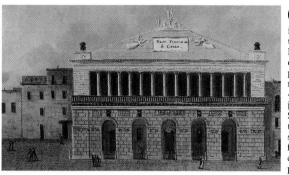

«Tout l'art d'aimer se réduit [...] à écouter son âme»

«4 mars [1818]. Commencement d'une grande phrase musicale.» Ainsi débute la plus impossible passion de Stendhal, qui ne lui laissa que des souvenirs déchirants et, né de «cette folie nommée amour», un livre étrange, de feu et de glace : *De l'amour*. Elle s'appelait Matilde Dembowski (Stendhal dit toujours Métilde), avait vingt-huit ans, et vivait séparée de son époux, un brutal général polonais, père de deux enfants qu'ils se disputaient. Elle avait ces grands yeux «mélancoliques et timides» qui l'ont toujours bouleversé, parce qu'ils disent la nostalgie d'un bonheur plus sublime qu'ici-bas, «le plus beau front [...] les plus beaux cheveux châtain foncé». S'étonner de la platitude de ces mots, c'est donner raison à Stendhal, à l'auteur de *De l'amour* : l'imagination transfigure l'objet adoré (c'est la *cristallisation*), et «la rêverie de l'amour ne peut se noter», pas plus que «la rêverie qui est le vrai plaisir du roman».

Stendhal alors s'engage, éperdu d'amour, transi de timidité, tantôt tout à fait muet, tantôt trop bavard – don Juan agressif loin de sa belle («Attaque! Attaque!»), Werther terrorisé devant elle –, sur ce qu'il faut bien appeler un chemin de croix mystique dont il fait la théorie et le récit dans *De l'amour*. Oui, l'âme stendhalienne, sous sa vulgaire enveloppe de chair dont Métilde doit effacer la laideur, se déchire, s'abîme et se délecte dans l'adoration extatique, dans le supplice du doute et de l'espoir, dans les rigoureux tourments que sa Dame inexorable, comme autant

C'est en novembre 1737 que fut inauguré le célèbre théâtre San Carlo de Naples (à gauche), un des plus beaux et des plus vastes d'Europe, reconstruit en 1817. «Voici enfin le grand jour de l'ouverture du Saint-Charles : folies, torrents de peuple, salle éblouissante. Il faut donner et recevoir quelques coups de poing et de rudes poussées. Je me suis juré de ne pas me fâcher, et j'y ai réussi, mais j'ai perdu les deux basques de mon habit.» Mais ce passage de *Rome, Naples et Florence*, daté du 12 février 1817, retarde d'un mois l'événement auquel Stendhal, arrivé le 28 janvier, n'a pas pu assister.

❛❛Je ne puis me lasser du Saint-Charles : les jouissances d'architecture sont si rares! Pour les plaisirs de la musique, il ne faut pas les chercher ici : l'on n'entend pas.❜❜
Rome, Naples et Florence

d'épreuves, lui inflige. Oui, les malheurs du véritable amant sont encore d'incommensurables félicités, inconnues des âmes vulgaires! L'art et l'amour (l'amour-passion, le seul dont traite le livre) n'apparaissent, n'appartiennent qu'aux âmes sensibles, aux *happy few*, comme un air de musique tendre et triste à eux seuls réservé.

La militante
et le libertin

Stendhal voulut toujours croire que Métilde l'aimait, mais s'en interdisait l'aveu – cet aveu que le romancier s'accordera par la bouche de Mme de Chasteller dans *Lucien Leuwen* : «Hé bien oui, je vous aime, mais ayez pitié de moi.» Il semble bien, en fait, qu'elle ne l'ait jamais aimé, ni même laissé espérer. Ne s'avoue-t-il pas, dans le *Journal*, que son amour «ne vit que d'imagination»? Beaucoup d'obstacles les séparaient, dont Stendhal ne paraît pas tenir grand compte : sa situation de femme séparée, peu ordinaire dans la bonne société milanaise, encore aggravée par la question des enfants; son militantisme politique et clandestin, fort dangereux, aux côtés des carbonari en lutte contre l'Autriche; la réputation cynique et libertine de Stendhal, passionnément napoléonien, quand les libéraux étaient antifrançais, et plein de raillerie à l'égard de leur action qu'il jugeait puérile...

En lunettes vertes à Volterra

Qu'elle puisse craindre ses maladresses, ses indiscrétions, son zèle encombrant n'effleure pas l'esprit de Stendhal quand, en juin 1819, il imagine de la suivre incognito à Volterra, où ses fils sont en pension. N'a-t-il pas pris assez de précautions pour ne pas être reconnu d'elle : un autre habit, des lunettes vertes, et le projet de ne sortir que la nuit – dans une petite bourgade de province... Malchance ! «J'arrivai le 3, et la première personne que je vis à Volterra, ce fut vous, Madame.» Il se sauve, se cache, et n'enlève

les lunettes vertes que le soir. Malédiction ! «Au moment où je les ôtais, vous vîntes à passer, et mon plan, si heureusement exécuté jusqu'alors, fut détérioré.» Où peut-elle voir dans tout cela «un manque de délicatesse» ? L'involontaire comique de cette minutie casuistique ne doit pas en cacher la douleur et le sens : au véritable amant, à l'authentique passion tout se dérobe, l'adresse et l'à-propos, dira De l'amour, imaginé le 29 décembre 1819 («day of genius»), terminé en mars 1820, perdu, et enfin publié en 1822 sans aucun succès.

De cette passion désespérée, il s'arrache et on l'arrache : la répression s'abat sur les libéraux, dont Métilde, et on lui conseille de partir. Il quitte Milan le 13 juin 1821, après une dernière entrevue.

Jour fatidique et ombre mystérieuse ! Le 4 mars 1818, Stendhal rencontre Métilde Dembowski. Dès le 29, il reçoit «un coup sensible dans le plus profond de son cœur.» Alors qu'elle semblait lui marquer de la bienveillance, elle lui consigne sa porte : «Cet événement a recouvert d'un crêpe toute la journée.» Elle se refroidira encore plus après l'équipée de Volterra (3 au 10 juin 1819), une petite ville étrusque dont les environs pittoresques retiendront Corot en 1834 (ci-contre). Le 25 octobre, il griffonne, au sortir de chez elle, cette indication laconique : «Les lettres que vous avez osé m'écrire, rouge de colère. Défaite.» Le 4 novembre, il commence le récit connu sous le nom de Roman de Métilde, dont on voit ici la page de titre largement annotée de sa main. Le 29 décembre lui vient la «first idea» de De l'Amour. En 1821, Métilde résistera aussi farouchement aux policiers qui traquent les carbonari et envoient au Spielberg le patriote Silvio Pellico, auteur en 1832 de Mes prisons.

Cette âme angélique cachée dans un si beau corps a quitté la vie en 1825.
Souvenirs d'égotisme

Dans son cœur et sa mémoire, Milan reste à jamais «la fleur de [sa] vie». Pour nous, spectateurs, c'est à Paris qu'il brille de tous ses feux et devient un personnage haut en couleur. Rouges, les fusées de l'esprit, les fusions charnelles. Noirs, les naufrages amoureux, les soucis d'argent, les romans incompris. Dix ans après, la révolution de 1830 le renvoie en Italie.

CHAPITRE IV
PARIS, NOIR ET ROUGE
(1821-1830)

Dans le salon de Mme Ancelot, proche des milieux académiques et où elle hésitait à l'inviter, Stendhal, alias César Bombet, fit un jour une entrée fracassante, en se prétendant marchand de cotonnades ! Il ne pouvait qu'apprécier la gaieté d'un Rossini, qu'il rencontre à Milan et célèbre à Paris.

Souvenirs d'Égotisme.

Chapitre 1.

«Je porterais un masque avec plaisir ; je changerais de nom avec délices»

Coupé de Milan et de Métilde comme on se coupe une jambe, prostré au point de converser avec les postillons sur le prix du vin, Stendhal retrouve Paris le 21 juin. Que pense-t-il ? Impossible de s'adresser au squelettique *Journal* (qui n'est plus, pour ces années, que le rapprochement de quelques notes griffonnées de droite et de gauche). Rien également dans la correspondance, car Stendhal, s'il faut en croire les *Souvenirs d'égotisme* (rédigés en Italie du 20 juin au 4 juillet 1832 et consacrés au récit de ces dix années parisiennes), entre dans Paris «avec une seule idée : *n'être pas deviné*», cacher sa passion à ses amis au cœur sec et railleur. «Je me dis cela en juin 1821 et je vois en juin 1832, pour la première fois, en écrivant ceci, que cette peur, mille fois répétée, a été [...] le principe dirigeant de ma vie pendant dix ans. C'est

Les *Souvenirs d'égotisme*, rédigés en Italie en 1832 et brusquement interrompus au bout de quinze jours, restent cependant notre source essentielle sur les premières années de son séjour parisien. En voici le début : «Pour employer mes loisirs dans cette terre étrangère, j'ai envie d'écrire un petit mémoire de ce qui m'est arrivé pendant mon dernier voyage à Paris, du 21 juin 1821 au ... novembre 1830.»

par là que je suis venu à *avoir de l'esprit*.» A porter donc ce masque d'un causeur provocant, cynique, déroutant, rétracté devant le moindre épanchement affectif, dont tous les témoins gardent un souvenir admiratif et exaspéré, ou effrayé. Mais comment le croire lorsqu'il se persuade, dans son autobiographie, que cette métamorphose suivrait, en 1826, l'échec de sa liaison avec la comtesse Curial ? Ne s'est-il pas exhorté, depuis sa jeunesse, à faire l'acteur en société, à brider ses émotions, à jouer la gaieté qui protège le cœur ?

«Enfin, cinq heures arrivaient»

Paris lui paraît plus que laid – insultant pour sa douleur –, et reproduit l'horreur de son premier

De 1821 à 1830, Stendhal est citadin de Paris, rive droite. Mais il se rend parfois à Montmorency, où il loue une chambre en juin-juillet 1822 et travaille à *De l'amour*. Site rousseauiste, forêt solitaire, mais aussi souvenir d'Alexandrine Daru, dont la propriété de Bécheville était parfois camouflée, dans ses écrits intimes, sous l'appellation de Montmorency. «C'était une chose bien dangereuse pour moi, que de corriger les épreuves d'un livre qui me rappelait tant de nuances de sentiments que j'avais éprouvés en Italie. J'eus la faiblesse de prendre une chambre à Montmorency. J'y allais le soir en deux heures par la diligence de la rue Saint-Denis. Au milieu des bois, surtout à gauche de la Sablonnière en montant, je corrigeais mes épreuves. Je faillis devenir fou.»

Exclusivement égotistes, les *Souvenirs* ne disent rien de la mort de Napoléon, en 1821. A gauche, son portrait funéraire, dessiné et gravé par Calamatta, d'après le plâtre original moulé à Sainte-Hélène.

séjour, en 1800. Levé à dix heures, il rejoint à dix heures trente, au café de Rouen, autour d'une tasse de café et deux brioches, le baron de Mareste, royaliste *ultra*, fonctionnaire de police, imperméable à toute émotion sentimentale ou esthétique, myope, avare, égoïste, fier de son titre et de son argent, accroché aux Bourbons comme à une bouée, apte à discuter de tout sauf de l'essentiel (la littérature, l'amour et le cœur humain)... avec lequel il prétend avoir passé toutes ses matinées de 1821 à 1828, en l'accompagnant au bureau de onze heures à douze heures trente !

Commence «le moment affreux de la journée». Pourquoi ne pas se tuer ? Ou pourquoi ne pas en profiter pour tuer Louis XVIII – il écrit : «t L 18» – «avec ses yeux de bœuf» ! Il traîne, lit, va au musée et vole, à dix-sept heures, retrouver Mareste à la table de l'hôtel de Bruxelles.

Étrange personnage que le baron Adolphe de Mareste (1784-1867, à gauche), dont la famille arborait cette noble devise : «A Dieu seul je m'areste», et sur lequel Stendhal, dans ses *Souvenirs*, exerce son ironique rancune ! «Petit, râblé, trapu, n'y voyant pas à trois pas, toujours mal mis par avarice [...], il épousa une sotte parfaite.»

Manquée !

Le trouvant «soucieux», ses amis organisent avec bon sens, en août 1821, une partie de filles. Tout était parfait, au quatrième étage de la rue du Cadran, au coin de la rue Montmartre : champagne frappé, punch chaud, salon charmant, Alexandrine, élancée, yeux noirs, débutante depuis deux mois, encore douce et décente. Mais Stendhal est formel : «Je la manquai parfaitement, *fiasco* complet.» Les amis se tordent, l'un d'eux en roule sur le tapis ; Alexandrine, déconcertée, s'éduque. «J'étais étonné et rien de plus. Je ne sais pourquoi l'idée de Métilde m'avait saisi en entrant dans cette chambre.»

❝Après un intervalle effroyable, Lussinge [Mareste] revient tout pâle. «A vous, Beyle. Honneur à l'arrivant !» s'écria-t-on. Je trouve Alexandrine sur un lit, un peu fatiguée, presque dans le costume et précisément dans la position de la duchesse d'Urbin du Titien. «Causons seulement pendant dix minutes, me dit-elle avec esprit. Je suis un peu fatiguée, bavardons. Bientôt je retrouverai le feu de la jeunesse.» Elle était adorable ; je n'ai peut-être rien vu d'aussi joli. Il n'y avait point trop de libertinage, excepté dans les yeux qui peu à peu redevinrent pleins de folie, et, si l'on veut, de passion.❞

Si Mareste méprisait les Bourbons pour leurs maladresses, Stendhal les haïssait par conviction : «Le gros Louis XVIII, avec ses yeux de bœuf, traîné lentement par ses six gros chevaux, que je rencontrais sans cesse, me faisait particulièrement horreur.»

L'auteur de *De l'amour* avait déjà traité de cette défaillance, qui fera le sujet d'*Armance*, son premier roman (1827). Pourtant Stendhal n'était pas un impuissant, un *babilan*; des femmes dignes de foi en témoignent sans regret. La chasteté fut chez lui fille de l'amour. S'il trouve comique cette vertu, il tient «en horreur les propos libertins français», et rien ne lui répugne comme cette Mme de Montcertin, dotée de deux amants (ville et campagne), qui, interrogée par ses nièces sur l'amour, répond en plein salon Tracy : «C'est une vilaine chose sale, dont on accuse quelquefois les femmes de chambre, et, quand elles en sont convaincues, on les chasse.» «Je la regardais comme une *chose* et non pas comme un être», commente Stendhal.

Arrivé à Paris le 21 juin 1821, Stendhal repart pour Londres, le 18 octobre, «chercher un remède au *spleen*». Les pièces de Shakespeare et le fameux acteur Kean (ci-dessous en Othello) le distraient de son désespoir, de son dégoût de lui-même.

«La petite maison de miss Appleby»

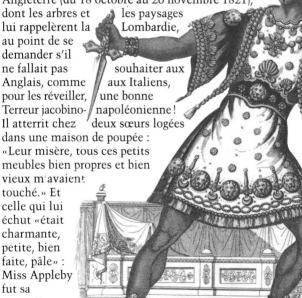

Il eut l'occasion de se ressaisir lors d'un voyage en Angleterre (du 18 octobre au 20 novembre 1821), dont les arbres et les paysages lui rappelèrent la Lombardie, au point de se demander s'il ne fallait pas souhaiter aux Anglais, comme aux Italiens, pour les réveiller, une bonne Terreur jacobino-napoléonienne! Il atterrit chez deux sœurs logées dans une maison de poupée : «Leur misère, tous ces petits meubles bien propres et bien vieux m'avaient touché.» Et celle qui lui échut «était charmante, petite, bien faite, pâle» : Miss Appleby fut sa «première consolation réelle et intime». Mais

Stendhal, au fond indifférent à l'Allemagne, s'intéresse bien plus aux choses britanniques. Il s'était déjà rendu en Angleterre en 1817, et, dès novembre 1822, commence sa collaboration au *New Monthly Magazine*. Rien de plus caractéristique de son tour d'esprit que cette approche du travail industriel : «Je sentis sur-le-champ le ridicule des dix-huit heures de travail de l'ouvrier anglais. Le pauvre Italien tout déguenillé est bien plus près du bonheur. Il a le temps de faire l'amour, il se livre quatre-vingts ou cent jours par an à une religion d'autant plus amusante qu'elle lui fait un peu peur, etc., etc.» Pour venger «son honneur national offensé», le valet anglais qui entend tout ce discours propose à Stendhal et à ses deux camarades une partie de filles dans un «quartier perdu, Westminster Road, admirablement disposé pour que quatre matelots souteneurs puissent rosser des Français». Mareste se défile, mais Stendhal et son autre compagnon s'y rendent, bien armés !

il refusa de l'emmener en France bien qu'elle lui eût, dit-il, promis de ne rien lui coûter, en ne mangeant… que des pommes. «Effrayante idée» : une femme attachée à lui «comme une huître» ! Il avait déjà dû se brouiller avec sa sœur Pauline, la tant aimée, pour s'en décoller après la mort, en 1816, de son mari.

«Un salon de huit ou dix personnes dont toutes les femmes ont eu des amants, où la conversation est gaie, anecdotique, et où l'on prend du punch léger à minuit et demi, est l'endroit du monde où je me trouve le mieux»

Les soirées sont vouées aux salons, lieu stratégique du roman stendhalien et champ de bataille du beyliste en parade : «Le samedi chez M. Cuvier, le dimanche chez M. de Tracy, le mardi chez Mme Ancelot, le mercredi chez le baron Gérard, etc., etc.» La description du salon Tracy, salon de l'opposition libérale, aristocratique et de gauche, si polie et si convenable, est le grand morceau de bravoure des *Souvenirs d'égotisme*. Elle définit parfaitement les antinomies stendhaliennes, l'impossibilité et le refus de s'embrigader, en politique comme en littérature. Avec ses «énormes favoris noirs», qui lui font une «tête de boucher

Le baron Cuvier, illustre savant et zélé serviteur des gouvernements établis, régnait sur le Jardin des Plantes. Il y tenait un salon, le samedi, où Stendhal appréciait beaucoup sa belle-fille, Sophie Duvaucel (1789-1867, ci-dessous).

italien», Stendhal détonne autant que par ses propos énergiques. C'est l'énergie, maître mot des fils de la Révolution (Julien Sorel, Napoléon, Henri Beyle) et des grandes âmes (les héroïnes de ses romans), l'énergie du style et du cœur, qui manque à ces opposants de pacotille, à

Cette caricature de M. de Fongeray, par Henry Monnier, dans *Les Soirées de Neuilly* (1827), vise-t-elle Stendhal, à qui certains attribuaient l'ouvrage ? La ressemblance est troublante. A l'époque, Stendhal fréquente assidûment le salon Tracy, rue d'Anjou. En haut, à gauche, le comte Destutt de Tracy, fondateur de l'Idéologie ou science des idées, et maître à penser de Stendhal.

LES SOIRÉES

DE NEUILLY,

ESQUISSES DRAMATIQUES ET HISTORIQUES,

PUBLIÉES

PAR M. DE FONGERAY

ORNÉES

DU PORTRAIT DE L'É

ce libéralisme mou et fade, comme elle manque aux écrivains à la mode, romantiques ou non.

Poliment prié, un jour, d'exposer sa politique, l'ex-auditeur au Conseil d'Etat propose d'exiler vers les Pyrénées, cernées par l'armée, les anciens aristocrates émigrés, de fusiller ceux qui tenteraient de s'échapper, et de vendre leurs biens. «Les figures [...] s'allongeaient pendant l'explication de ce plan; je semblais atroce à ces petites âmes étiolées par la politesse de Paris.» Pas mort, le petit jacobin de dix ans en révolte contre sa

Vers 1825, Stendhal fait la connaissance de Mme Ancelot (1792-1875), épouse du poète Arsène Ancelot, qu'elle poussait tenacement, via leur salon, vers l'Académie française. On prétendait que le maréchal Marmont, amant d'«Ancilla», envoyait ses grenadiers soutenir les pièces du mari! Dévots, classiques et royalistes sous la Restauration, les Ancelot (ci-contre leur salon) perdront places et pensions en 1830. Outre Stendhal, dont on aperçoit ici le visage (à droite, à mi-hauteur) au-dessus du profil de M. Ancelot, assis au premier rang, on peut reconnaître le prince et la princesse Czartoriski (au centre du tableau) entourés, à gauche, par Chateaubriand, à droite par Mme Récamier, avec Tocqueville, Tourgueniev, Mareste dans l'assistance, tous absorbés à écouter l'actrice Rachel (en robe noire) dans le rôle d'Hermione.

famille! Car il est bien, et avec quelle virulence, de la famille libérale... Une jeune femme, touchée de ses imprudences, lui donnera, dans l'antichambre, un baiser à pleine bouche.

Un «gros Méphistophélès» à la verve épuisante

Dimanche 11 février 1827, dans le grenier littéraire de Delécluze, l'endroit de Paris qu'il préférait, malgré ses quatre-vingt-quinze marches, parce qu'«une telle société n'est possible que dans la patrie de Voltaire, de Molière, de Courier». Ce n'est pas en effet un salon, mais un cénacle d'intellectuels. Delécluze, qui déclare à propos d'Henri Beyle: «Cet homme me serait antipathique, tandis que je puis dire que je me sens porté à l'aimer», nous a laissé dans son *Journal* (1824-1828) un exceptionnel sténogramme de la conversation: «Beyle: M. de Maistre est un homme qui écrit bien, mais c'est un coquin. – Cerclet: Et pourquoi cela, s'il vous plaît? – Beyle: Un homme qui commence par me parler de la conscience! qu'est-ce que la conscience, je vous en prie? Il n'y a qu'un hypocrite [...] pour invoquer le témoignage de la conscience. (Cette remarque prononcée d'un ton décisif n'étant pas relevée par l'auditoire, qui redoutait une discussion inutile, Beyle a continué.) [...] – Meynier: Quel homme singulier que ce M. Beyle! – Cerclet: C'est un brise-raison.» Brise-raison au cœur brisé? Oui et non, car son cœur renaît toujours de ses cendres, et Stendhal – tel qu'il s'est révélé par ses écrits autobiographiques – est à la fois tout à fait dans ses sorties abruptes, dans ses masques

Le critique d'art Etienne Delécluze (1781-1863) recevait dans son «grenier» (quatre-vingt-quinze marches y menaient) le dimanche après-midi, à partir de deux heures. Stendhal pénètre pour la première fois dans ce cénacle, qui recrutait ses membres par cooptation, en février 1822. Il y savoure ce qui lui manquait à Milan: les brillances de l'esprit parisien, les joutes mi-sérieuses mi-bouffonnes, les paradoxes étincelants. Il y puise aussi idées et nouvelles pour ses articles dans les revues anglaises, qu'il met là au banc d'essai. C'est autour du vieux canapé rouge d'Etienne Delécluze, amusé et effrayé, que Stendhal s'est fait ses premiers disciples; mais la plupart le jugeront de haut, comme un bouffon cynique et destructeur, lorsqu'ils seront devenus les nouveaux maîtres de la Monarchie de Juillet. Le «grenier», sous l'impulsion de Stendhal, incline vers un romantisme libéral, contrairement à celui de l'Arsenal, avec Nodier et Hugo.

et ses sarcasmes, et entièrement au-delà, dans la rêverie tendre et mélancolique de l'artiste solitaire, dans la pensée mobile des contraires imprévus. «Je suis accoutumé à paraître le contraire de ce que je suis.» C'est donc qu'il est aussi son contraire, comme les personnages de Musset, le seul romantique qui aurait pu le comprendre.

«Pour qui a goûté de la profonde occupation d'écrire, lire n'est plus qu'un plaisir secondaire»

Vieille leçon des moines et des médecins antiques : les maladies de l'âme se soignent par le travail. Au retour de Londres, fin 1821, il récupère le manuscrit de *De l'amour*, égaré depuis un an par les postes françaises, et en prépare l'édition, les yeux noyés de larmes. En novembre 1822 commence sa collaboration bien payée aux revues anglaises, suivie, à partir de 1824, d'articles sur les arts et la musique dans le *Journal de Paris*, gazette royaliste où la protection de son ami Lingay, publiciste aux gages du pouvoir, de tous les pouvoirs, lui permet de ne pas trop mentir ! Avec sa rente, sa demi-solde, ses revenus journalistiques et même littéraires, soit environ neuf mille francs, il va retrouver, jusqu'en 1827, la vie

À son retour d'Angleterre, fin 1821, Stendhal retrouve le manuscrit de *De l'amour*, égaré depuis un an, qu'il fait paraître en août 1822. Le titre sonnait comme un hommage au philosophe tant admiré de l'Idéologie, Destutt de Tracy. Celui-ci avait en effet laissé paraître en Italie une traduction d'un *De l'amour* à lui, qu'il n'avait pas osé publier en France. Le livre du disciple le déconcerta.

Vie

 e Rossini,

PAR

M. De Stendhal;

Ornée des Portraits de Rossini et de Mozart.

facile des belles années impériales.
D'où ses voyages d'agrément en Italie
(d'octobre 1823 à février 1824 ; de
juillet 1827 à janvier 1828), en
Angleterre (de juin à septembre
1826)...

Il s'attaque aussi à des livres. Il compose
et publie en 1823 une *Vie de Rossini* (il
fréquente si assidûment le salon de la
cantatrice Giuditta Pasta, qu'il
emménage, pour plus de
commodité, dans le même
hôtel, mais pas dans le même
lit) et un pamphlet anti-
classique, *Racine et
Shakespeare*, plus
célébré par les histoires
de la littérature que par
les lecteurs qui se
contentèrent des trois
cents exemplaires de
la première édition.
On fait généralement
mérite à Stendhal

La cantatrice
Giuditta Pasta
(1797-1865),
auprès de qui, à
l'hôtel des Lillois,
Stendhal écrit la
Vie de Rossini
(1823), son premier
livre à succès.

d'avoir sinon introduit, du moins lancé en France (en hussard isolé plutôt qu'en stratège appliqué) le mot romantisme, à défaut de la chose. Inutile de chicaner, même si Stendhal francise en romanticisme le terme italien *romanticismo* (voir le chapitre III de *Racine et Shakespeare* : *Ce que c'est que le Romanticisme*).

Romanticisme contre Romantisme ?

Qu'est-ce au fait que le romanticisme, à Paris, en 1823, sous une plume si spirituelle et si hétérodoxe ? Le courage de proposer au public moderne des œuvres modernes qui lui fassent un plaisir réel (et non pas routinier, comme aux pièces classiques). Au théâtre (objet presque exclusif du livre) cela veut dire : des tragédies historiques et nationales où la prose étanche «la soif des actions énergiques» propre «à un Français qui fut de la retraite de Moscou!». La plupart de ces idées sont celles des tenants du drame bourgeois des Lumières, opposés à la tragédie classique. Or – il ne s'en cache pas – Stendhal baille au drame romantique (*Hernani* lui donne mal à la tête), enrage aux vers romantiques, et traite ses contemporains de charlatans, son ami Mérimée excepté.

Le romantisme très particulier de Stendhal (un art de la modernité énergique, de la prose et de l'héroïsme dans les sentiments), qui allie le culte de Napoléon et le culte de l'amour, l'ironie et la rêverie, trouve un équivalent pictural plus exact chez Géricault (*Retour de Russie*) que dans l'univers onirique et germanique de Caspar David Friedrich.

Des élèves de Chateaubriand, il ne supporte ni «l'infâme rhétorique», sa bête noire, ni l'étalage complaisant et superficiel du moi (lui l'analyse et le travaille inlassablement), ni le spiritualisme (il est athée, matérialiste), ni les idées politiques (qu'elles soient de droite ou de la gauche brumeuse), ni le goût des utopies et des arrière-mondes, ni le lyrisme, ni le sentimentalisme, ni le vague, ni le faux, ni les grands mots aux dépens des petits faits nets, vrais, exacts. Il faut s'y faire : Stendhal est un fils des Lumières, un enfant de la Révolution, sur qui le romantisme allemand et même anglais n'a somme toute pas de prise réelle. Mieux vaut, pour le comprendre, lire Montesquieu que lord Byron, écouter Mozart que Berlioz. Et de fait, personne ne le prend pour un chef de l'école romantique.

Jamais les amis de Stendhal, amateurs ou professionnels, n'auront assez de reconnaissance envers Romain Colomb (1784-1858), son cousin par la branche maternelle et exécuteur testamentaire. S'il a, par pudeur et déférence sociale, brûlé la plupart des lettres de la comtesse Curial, il nous a conservé l'énorme masse des manuscrits stendhaliens, dont la publication, échelonnée sur presque un siècle, a bouleversé l'image de l'auteur et de l'homme. Premier stendhalien fétichiste, il aurait voulu tout publier. Mérimée conseilla de choisir.

Les pieds nus de Clémentine

Ils pensaient l'un à l'autre depuis qu'il l'avait vue, un matin de mars 1814, à six heures, pieds nus dans un château de l'Aube. En partant pour Milan, il se souvient de ses «yeux candides». Elle était la fille de la comtesse Beugnot, et s'appelait Clémentine Curial, comtesse, mariée, mère de cinq enfants. C'est elle qui l'avait embrassé sur la bouche chez les Tracy, et qui lui rapportait ce qu'on disait dans son dos. Mais, trop gros, trop laid, trop malheureux, il n'ose pas répondre aux beaux yeux qui se posent parfois sur lui, tout en savourant ces promesses indécises. Lasse d'attendre, elle le contraignit sans doute à un aveu, qu'il se serait fixé, dit-on, de faire devant tel arbre du bois d'Andilly, en mai 1824. Dit-on, car Romain Colomb, cousin et gardien des papiers de Stendhal, a détruit les deux cent quatre-vingts lettres de Clémentine («Menti»), dont deux cent quinze écrites entre 1824 et 1826. Lorsqu'ils se furent enfin

Du croquis (ci-dessous et à droite) pour un projet de roman aux affres de la rupture, en mai 1826, avec «Menti», l'orageuse et superbe comtesse Clémentine Curial

(1788-1840, page de droite), il y a, dans la vie et l'œuvre, un penchant permanent vers le romanesque.

unis, le 22 mai, «alors seulement le souvenir de Métilde ne fut plus déchirant», et devint «comme un fantôme tendre, profondément triste».

Toute de passion, d'emportement, de tourments, la comtesse Curial brûlait les hommes par les deux bouts. Elle garda pourtant Stendhal deux ans, et il ne reçut jamais, d'aucune femme, des lettres aussi naturelles, dont demeurent quelques bribes magnifiques. Personne ne peut en vouloir à Métilde de n'avoir pas aimé Stendhal ; mais l'imagine-t-on cachant son amant, pendant trois jours, dans une cave de son château, le nourrissant, vidant la chaise percée, plaçant et déplaçant l'échelle, comme fit Menti en juillet 1824 ? Il s'en souviendra dans *Le Rouge et le Noir.*

Romancier !

Leur liaison fut orageuse, et il souffrit affreusement, comme toujours, de la rupture. Nous connaissons le cycle : pistolet, travail, voyage, puis douce mélancolie, et enfin grande tendresse reconnaissante de l'homme et du romancier (Mme de Puylaurens et Mme d'Hocquincourt, dans *Lucien Leuwen,* s'inspirent

RACINE

et Shakspeare,

OU

RÉPONSE AU MANIFESTE CONTRE

LE ROMANTISME,

Par M. de Stendhal.

DIALOGUE.

Le vieillard. — « Continuons. »
Le jeune homme. — « Examinons. »
Voilà tout le dix neuvième siècle

En réponse ironique à un manifeste anti-romantique de l'académicien Auger, Stendhal publie, deux ans après la première, une autre version de *Racine et Shakespeare.*

de Clémentine, en face de Mme de Chasteller, plus proche, quant à elle, de Métilde).

Mais 1826 est aussi et surtout, même si les autobiographies stendhaliennes, centrées sur le cœur, n'en disent mot, l'année du premier roman, *Armance* (publié en 1827).

Pourquoi vient-il au roman si tard, à quarante-trois ans, pourquoi maintenant, et pourquoi sur le sujet de l'impuissance, apparemment inactuel dans sa vie mais porté par l'écume littéraire parisienne ? On ne sait trop, faute de confidences autobiographiques, sauf à lier impuissance et échec amoureux. *Armance* s'inspire d'un roman inédit de Mme de Duras, *Olivier ou le secret*, imité aussitôt, à titre de mystification littéraire, par Henri de Latouche. Le malheureux héros de Stendhal, Octave de Malivert, aime Armance, en est aimé, l'épouse pour ne pas la compromettre, et se suicide plutôt que d'assumer sa défaillance. L'insuccès eut beau se faire éclatant et unanime – faute peut-être d'assez de clarté dans l'analyse d'un mal auquel le romancier tient justement à laisser tout son mystère –, Stendhal avait trouvé sa voie, sinon son ton et sa bonne distance (affection et ironie) par rapport au héros.

Imprudemment et platoniquement amoureux de la pauvre Armance, Olivier de Malivert fréquente les salons de la haute aristocratie, fermés à Stendhal. Au romancier d'imaginer leur ennui. Le vulgaire ne comprend pas son premier roman, qui ne ressemble qu'à *La Princesse de Clèves* ? «Tant pis pour le vulgaire», écrit-il le 6 juin 1828.

… et promeneur irrévérencieux

La célébrité n'est pas venue à Stendhal par le roman. Il s'était bâti, depuis 1815, une belle réputation littéraire, à coups de vies d'artistes (peintres et musiciens), de journaux de voyage, d'un traité de l'amour, de pamphlets politico-littéraires, d'articles. L'hétéroclite de l'énumération en dissimule la profonde cohérence, qui lie l'esthétique à la politique (à l'Histoire), l'intelligence des idées (qualité «française») au partage des émotions (qualité «italienne»). Il n'est de vrai livre, à ses yeux, que dans cette fusion inconnue à Paris : «faire comprendre une idée [...] faire sentir». Cette formule des *Souvenirs d'égotisme* pourrait aussi servir de définition à ses

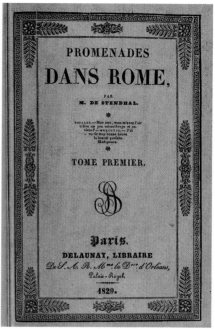

romans, bien qu'elle ne semble pas les concerner.

Le manuscrit d'*Armance* lui rapporte mille francs, mais ne peut résorber la crise financière lancinante qui s'installe à partir de 1827. Liée essentiellement à la baisse de ses revenus journalistiques, elle ne se résoudra que par la chute de la Restauration.

En août 1827, quand paraît son premier roman, Stendhal voyage en Italie ; mais lorsqu'il arrive à Milan, le 1er janvier 1828, on lui donne douze heures pour quitter les Etats autrichiens, en raison d'un livre «mal famé» et subversif, *Rome, Naples et Florence*, réédité en 1827. Il poursuit la même veine désinvolte dans le chef-d'œuvre des guides de tourisme, *Promenades dans Rome* (1829), dont il a sans doute extrait, pour la publier à part, en décembre 1829, une superbe nouvelle, *Vanina Vanini ou Particularités sur la dernière vente de carbonari dans les états du pape.*

Conçues pour accompagner «le voyageur qui va devers» la Ville éternelle, les *Promenades dans Rome* comprennent une suite de petits articles que Stendhal conseille de biffer au crayon «sitôt qu'on a vu le monument dont il parle». La *Vue de Rome à travers les arcades du Colisée*, en double-page suivante, de Christoffer Wilhelm Eckersberg, reprend un thème inépuisable de la conscience occidentale depuis la Renaissance : «toute la majesté de la Rome antique», en ruines, confrontée aux édifices modernes.

Deux assassins pour un héros guillotiné

Parti dans le Midi pour relancer par l'absence (toujours la cristallisation!) une liaison essoufflée, au bout de quelques mois passionnés, avec Alberthe de Rubempré (Mareste s'installe à sa place, pour trente-huit ans), l'idée du *Rouge et le Noir* lui vient à Marseille, les 25-26 octobre 1829.

L'un des plus célèbres romans français naît d'un fait divers : l'affaire du séminariste Antoine Berthet, qui avait été condamné à mort en 1827, à Grenoble, pour l'assassinat de sa maîtresse. Peut-être aussi, accessoirement, de l'affaire Lafargue, un ouvrier accusé du même crime. Mais le fait divers est transformé en *Chronique du XIXᵉ siècle*, en tableau de la Restauration qui bloque l'ambition des «deux cent mille Julien Sorel qui peuplent la France». C'est en effet le roman de l'énergie : celle de Julien, plébéien frustré, orgueilleux, malheureux, qui part à l'assaut de la société pour finir sous la guillotine; celle, violente et sardonique, de M. de Stendhal, qui viole les bons sentiments, le bon goût et la bonne langue. Hugo n'y voit que du patois! mais Gœthe salue aussitôt «le meilleur ouvrage» de Stendhal.

Préféré, mais pas préfet

Plus l'argent manque, et plus M. de Stendhal et Henri Beyle se dépensent. A peine Mareste a-t-il choisi de perdre un ami pour gagner une maîtresse, qu'une brune et vierge Italienne, Giulia Rinieri, née en 1801, se jette dans ses bras en toute connaissance de cause : «Je sais bien et depuis longtemps que tu es laid et vieux, mais je t'aime», lui déclare-t-elle le 3 février 1830. Il ne cédera pourtant qu'au bout de deux mois

En février 1829, Stendhal tombe amoureux d'une cousine et amante de Delacroix, Alberthe de Rubempré (1804-1873), qu'il surnomme Mᵐᵉ Azur parce qu'elle habite rue Bleue. Très jaloux, il demande à Mérimée de ne pas courtiser Alberthe pendant quinze jours. «Quinze mois, répondit [ce dernier], je n'ai aucun goût pour elle. J'ai vu ses bas plissés sur sa jambe.» Vainqueur en juin, Stendhal s'éloigne en septembre, et retrouve, en décembre, Mareste installé à sa place.

accordés au travail de la raison. Comment ne pas croire que Mathilde de la Mole, dans *Le Rouge*, doit quelque chose à Giulia ! A moins que Giulia n'ait bien lu *Vanina Vanini...*

C'est chez elle qu'il passe, le 29, la troisième nuit de cette révolution de Juillet dont il n'avait pas cru les Français capables, et qui va transformer sa vie. Reçu par Guizot le 3 août, il sollicite un poste de préfet et rédige, le 11, un appel à ses futurs administrés : «Que vos jeunes concitoyens des campagnes apprennent deux choses : le maniement des armes, et à lire» ! Mais il sait le soir même que Guizot n'aime pas les hommes de trop d'esprit, et se rabat sur un consulat en Italie, qu'il obtient le 25 septembre. Le 6 novembre, alors que son tuteur lui refuse la main de Giulia, il part pour Trieste. Sans attendre la sortie du *Rouge et le Noir*, le 13, car il mise sur les lecteurs de l'avenir.

Le 22 mars 1830, Stendhal note ainsi son premier bonheur avec Giulia Rinieri : *«A time, first time».* La révolution de Juillet le surprend en train de corriger les épreuves du *Rouge et le Noir*. C'est en se rendant chez Giulia, le 29 juillet, qu'il «vit la révolution de 1830 de dessous les colonnes du Théâtre-Français», comme il avait vu de chez son grand-père la journée des Tuiles.

Non! *Le Rouge et le Noir* n'est pas paru en 1831, comme le laisserait penser l'édition originale (à gauche), mais bien le 13 novembre 1830, jour où le *Journal de la Librairie* l'annonce : «*Le Rouge et le Noir, chronique du XIXe siècle*, deux volumes, 15 francs. L'éditeur, conformément à une vieille tradition, a tout simplement anticipé l'année à venir. L'auteur, quant à lui, obéissant aussi à une de ses vieilles habitudes, a quitté Paris le 6 novembre, sans même corriger les derniers cartons du roman. Le 5 mars 1831, le *Journal de la Librairie* annonce la deuxième édition du *Rouge*, en six volumes in-16.

Madame de Rênal sortait par la porte-fenêtre du salon qui donnait sur le jardin, quand elle aperçut près de la porte d'entrée la figure d'un jeune paysan presque encore enfant, extrêmement pâle et qui venait de pleurer. Il était en chemise bien blanche, et avait sous le bras une veste fort propre en ratine violette.
    Le Rouge et le Noir,
    chapitre V
    (illustration ci-contre)

Metternich, symbole de l'ordre, le refuse à Trieste. A Civitavecchia, le pape surveille ce consul athée, libéral, vagabond. Lui se réfugie à Rome et s'ennuie à mourir. L'Italie est devenue une prison, un poison. Soleil trop chaud, conversations gelées, corps pesant : seule la plume vole sur le papier, pour fuir le spleen et oublier l'âge.

CHAPITRE V
L'EXIL ET LE CONSUL (1830-1842)

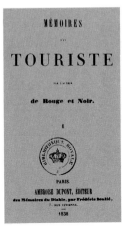

Exécuté en Italie vers 1835-1836, ce portrait en habit consulaire n'exprime pas la mobilité vivace du visage, soulignée par les contemporains, mais une forte concentration, «l'air d'un général dur-à-cuire», dit Stendhal! Est-ce par une secrète autodérision que le narrateur des *Mémoires d'un touriste* se présente comme un représentant de commerce?

«Je crève d'ennui [...]. Je n'ai pas dit une chose cherchant à être amusante. Je n'ai pas vu la sœur d'un homme; enfin, j'ai été modéré et prudent, et je crève d'ennui»

De quand date cette plainte de Parisien exilé chez les Barbares? Du 4 janvier 1831, à Trieste. Le ton est donné et ne changera pas. Stendhal vivra ses fonctions consulaires comme une corvée, comme une défaite de la vie, injuste, humiliante, aliénante : «Je n'ai jamais mieux senti le malheur d'avoir un père qui se ruine.» Il est vrai que le vent gèle les os, à Trieste; que la bonne société locale l'ignore; que le gouvernement autrichien, dès le 24 décembre, lui a signifié son refus d'agréer M. Beyle-Stendhal, un dangereux ennemi des bons principes en général et de l'Autriche en particulier, qu'on avait déjà expulsé de Milan en 1828.

«Mon ennui serait-il de même force si j'étais en Italie? Voilà la question que je me fais souvent.» La réponse dépend-elle vraiment de Civitavecchia, seul port des états pontificaux, où il entre en fonction le 17 avril? En choisissant de reprendre, quinze ans après, le collier du fonctionnaire pour s'assurer des revenus stables et une retraite, plutôt que d'exploiter dans la presse parisienne le succès sulfureux du *Rouge et le Noir*, Stendhal avait-il failli au beylisme? S'il souffrira beaucoup d'avoir préféré la sécurité à la

Nommé au poste de consul à Trieste le 25 septembre 1830, et parti de Paris le 6 novembre, Stendhal parvient à destination le 25 novembre. Il avait tenté, en vain, de contourner Milan, dont les autorités autrichiennes l'avaient expulsé en 1828. Dès le 21 novembre 1830, Metternich, chancelier d'Etat, demande au gouvernement français de nommer un autre consul. Le 24 décembre, Stendhal apprend officiellement qu'on lui refuse l'*exequatur*.

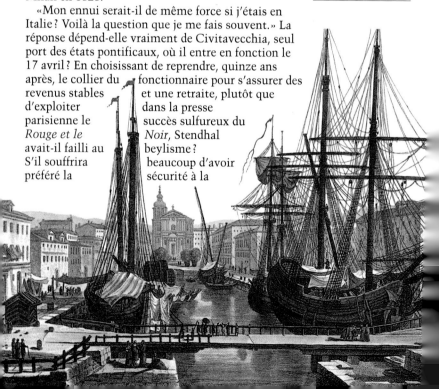

Pietro Beltramelli
PROPRIETARIO DELL'ALBERGO
ALL'
ACQUILA NERA
IN
Trieste

liberté, il ne reviendra jamais sur ce choix – un choix qui enveloppe la «trahison» jamais pardonnée du père ruiné, les belles années de carrière sous l'Empire, l'angoisse du manque d'argent et de l'âge, le mythe italien. Et sans doute le dégoût et la crainte de devoir vivre de sa plume.

«Un trou abominable»

En apprenant sa nouvelle nomination, Stendhal savait où il allait : une bourgade puante, malpropre, de sept mille cinq cents habitants, sans compter mille forçats traînant leurs boulets dans les rues et les voyageurs étrangers débarquant pour Rome, à quatre-vingts kilomètres de là. Il y avait cependant, car il faut être juste même avec la papauté, un médecin et un chirurgien, six à huit bourgeois et pas moins de deux

❝Vue étrange du ciel dans la mer à une immense profondeur à droite; lumières. C'est Trieste.❞ Il est onze heures et demie, et il souffle, ce 25 novembre, une petite *bora*, sorte de mistral, qui s'avérera vite «abominable». Le consul s'installe d'abord à l'auberge Acquila Nera. «Toute ma vie est peinte par mon dîner. Mon haut rang exige que je dîne seul. Premier ennui. Second ennui : on me sert douze plats.❞

millionnaires obtus, quatre intellectuels libéraux (dont Donato Bucci, ami et exécuteur testamentaire), couvés mais pas forcément confessés par la police pontificale, plus une chanteuse dans un petit théâtre.

Le 26 avril, le nouveau consul de France cisèle une conclusion à la Tacite : «Ce trou est réellement plus laid que Saint-Cloud. Mais papa s'est ruiné.» Cette apparente bonne humeur tient peut-être moins à la méthode beyliste du bonheur par la fermeté d'âme et le courage gai («se foutre carrément de tout», qu'il abrège encore en «S.F.C.D.T.»), qu'à une conviction intime dont il ne voulut jamais démordre : «On a toujours permis au consul de Civita-Vecchia d'avoir un pied-à-terre à Rome», explique-t-il dès le 17 mars, de Trieste, au comte d'Argout, vieille relation et ministre au nez célèbre, dont il fera le portrait satirique dans *Lucien Leuwen* (De Vaize). On l'a compris : l'art de vivre beyliste consiste à prendre pied dans le pied-à-terre, à s'arrimer en terre ferme, près des salons et de la bonne société.

Donato Bucci (à gauche, son portrait dessiné par Filippo Caetani) fut l'ami intime à Civitavecchia. Il tenait un magasin d'antiquités réputé, mais n'avait rien de cet esprit commerçant qui dégoûtait Stendhal. Stendhal (dont on voit ici le cachet) s'initie avec lui à l'archéologie, et lui léguera sa bibliothèque. Il n'a pas la même estime pour le comte d'Argout, vieille connaissance devenue ministre (buste en terre crue colorée par Daumier).

«Ma gravité, ma maturité a sous ses ordres treize vice-consuls ou agents consulaires qui font briller le nom français...»

Il a été absent de Civitavecchia et de Rome quatre ans et demi sur onze ? Et, globalement, ses absences dépassent ses présences (57 % contre 43 %) ? La Monarchie de Juillet et son «*King*» lamentable doivent bien cela à un vieux serviteur de l'Empire (blessé à Marengo ! précise le compère Mérimée, en poste chez d'Argout), à un Français de la retraite de Russie, à une victime des purges de 1814 et de l'incurie paternelle. Alors que les sots, les niais, les vendus, les crapules (les pseudo-libéraux, les pseudo-romantiques, les pseudo-amis, les pseudo-politiques) s'engraissent et se pavanent à Paris sans tenir les promesses de la révolution de 1830. Ah, si on les laissait faire ! Hélas… «Rien d'*individuel*, rien de fort par conséquent dans la conduite des hommes au pouvoir.» De cette rage et de cette frustration, les lettres, les conversations, les notes intimes, les œuvres ne cessent de témoigner.

En fait, que demande-t-il, de quoi rêve-t-il ? «Etre réimprimé en 1900 ; six mille francs à Lutèce. Loin de Lutèce, quinze mille et [la croix de la Légion d'honneur]. Plus, si l'on veut être

Comment faire d'un port méditerranéen une ville laide et triste ? Civitavecchia réussit parfaitement ce tour de force. Stendhal loge à côté de la citadelle, avec vue sur la mer, d'où les passagers des nouveaux bateaux à vapeur pouvaient l'apercevoir sur son balcon… quand il était là. Stendhal est certes prêt à «se foutre de tout», par fidélité beyliste, mais pas du choléra, dont il craint très fort, en 1831, l'arrivée.

Ce qui s'apèle, se F Casseneur de tout.

o happy state !

qi

j'en suis bienyois

Stendhal ne semble pas s'être autant répandu dans la société romaine que dans les salons parisiens. Il n'aurait assidûment fréquenté que trois familles : l'avocat Ciabatta, le comte et la comtesse Cini, les princes Caetani. Il se rend souvent à la villa Médicis (ci-contre aperçue dans un tableau de François-Marius Granet), dirigée jusqu'en 1834 par le peintre Horace Vernet (en bas), puis par Ingres ; mais ses provocations ne semblent pas avoir fait recette auprès des jeunes artistes français. Ni Ingres ni Vernet n'ont jamais peint Stendhal.

généreux, le secret de bander *à jour fixe* trois fois par an.» En quittant Trieste pour Civitavecchia, il était passé de quinze mille francs à dix mille, perdant «le superflu, chose si nécessaire» – avec l'âge, l'argent l'obsède de plus en plus. Guizot finira par lui donner, en 1835, cette croix constamment réclamée, qui réglait l'ordre protocolaire des diplomates. Restait le secret du *jour fixe*, assez difficile pour un cœur si voyageur, si chimérique, hanté par l'âge au point d'inscrire le passage de la cinquantaine sur la ceinture de son pantalon.

«Je comptais pouvoir vivre de "beau" pour tout potage ; cela m'est impossible»

Rome vaut mieux que Civitavecchia, mais force lui est d'admettre qu'il a un besoin vital, physique, des salons et de la conversation de Paris. Il en a besoin pour vivre, pour respirer, pour écrire et penser : «Un mois de séjour à Paris me rendra la respiration libre pour une année.» Au fond, le travail administratif (état des comptes, rapports, litiges, contrôles), les tracasseries tatillonnes des fonctionnaires pontificaux, la guerre ouverte avec son principal collaborateur, le chancelier du consulat, tout cela, aussi exaspérant soit-il, compte moins que

le sentiment d'étouffer, sans avenir ni plaisir, sans partage intellectuel et affectif, loin de ce Paris où la masse des idées se remue et s'aère.

(Cela, qui compte moins dans l'ordre du vécu, nourrira – transposé, transfiguré – les luttes et tracas du comte Mosca avec le fiscal Rassi, dans *La Chartreuse de Parme*.) Pourtant, s'il s'évade bien par

Bottes fourrées et chapeau claque, sur un bateau descendant le Rhône, Stendhal danse. Le croquis au crayon est de Musset.

l'écriture, Stendhal ne se tourne pas d'emblée vers le roman, mais vers son passé. Comme si le besoin fébrile de se dire à soi-même naissait de l'asphyxie du dialogue social. Du 20 juin au 4 juillet 1832, date à laquelle il s'arrête brusquement, il jette sur le papier les douze premiers chapitres des *Souvenirs d'égotisme*, qui devaient couvrir son séjour parisien de 1821 à 1830.

Consul ou auteur

L'interruption brutale des *Souvenirs* restera définitive, mais peu lui importe, puisqu'il a pris, en février 1831, la décision de ne plus rien publier tant qu'il resterait fonctionnaire. «Les gens au pouvoir haïssent les gens qui impriment», «ils haïssent la vérité, l'énergie». «Je me fais plat, j'écris peu ou point [...]. Tout mon but est d'être moral comme un sous-chef de bureau», écrit-il à Mme Cuvier, épouse du célèbre naturaliste, pour qu'elle le répète deux fois par mois dans son salon. Mérimée, au contraire, lui conseille d'imprimer pour se faire craindre.

Comment en effet publier son nouveau roman, *Une position sociale*, commencé en septembre 1832, jamais terminé, qui décrit sans ambages l'ambassade de France à Rome et met en scène l'ambassadrice, la comtesse de Sainte-Aulaire? Ou le troisième chef-

Ce portrait par Jean-Louis Ducis porte au verso, de la main de Stendhal : «Romae 1. septembre 1835». Le romancier lui empruntait une cravate noire pour les séances de pose. Le peintre a affiné l'arête du nez. Pas plus content de ses portraits que Diderot, Stendhal se trouve ici l'air «bête», malgré l'acuité des yeux. Il tient à la main la canne à pommeau d'or qu'on retrouvera chez lui, à Civitavecchia, après sa mort, et qui l'accompagnait sans doute pour ses fréquentes visites à la villa Borghèse, une des grandes promenades romaines, dont on voit à gauche l'entrée.

d'œuvre du roman stendhalien, ce *Lucien Leuwen* inachevé auquel il travaille à partir de mai 1834, féroce satire de la Monarchie de Juillet dont le livre III (abandonné) devait aussi se dérouler à Rome ? Ou la *Vie de Henry Brulard*, violent récit de son enfance et de son adolescence jusqu'à l'entrée à Milan, substitué à *Lucien Leuwen* en novembre 1835, et brutalement interrompu, pour toujours, quand il reçoit, le 26 mars 1836, l'acceptation de sa deuxième demande de congé ? Les autobiographies ne pourraient paraître qu'après sa mort, les romans, au mieux, qu'à

Amoureux fou, jadis, d'Alexandrine Daru, la femme de son «patron», Stendhal ne pouvait guère éviter de rêver sur la belle comtesse de Sainte-Aulaire, épouse de l'ambassadeur de France à Rome, qu'il évoque dans *Une position sociale*. Que s'est-il passé entre eux ? Sans doute rien. Si rêver n'est rien. Elle part à Vienne en 1833. Ci-dessus les «conditions», posées par Stendhal pour la publication de *Henry Brulard*.

sa retraite. De multiples testaments, rédigés au cours des années, tentent d'assurer la survie de ces textes compromettants, dont on doit la conservation scrupuleuse au zèle de son cousin Romain Colomb.

Faire une fin à Civitavecchia

L'exil a donc sa part dans l'inachèvement qui, en dehors de *La Chartreuse*, conçue et dictée à Paris, frappe tous les romans d'après 1830 et les deux autobiographies. Plus libre d'écrire pour son plaisir et selon ses goûts, Stendhal est aussi moins tenu de finir. La chute de l'Empire avait fait de lui un auteur. La révolution de Juillet, loin de stériliser l'écrivain sous le fonctionnaire, le libère du public immédiat et le lègue, tout couvert de manuscrits, à ces futurs lecteurs de 1880 dont il attend la gloire.

Tout n'est-il donc, sur ces tristes rivages, que cendres, soleil de plomb et corvées grises, hors des songes de l'écriture ? Ses dents tombent, sa vue baisse, l'épaule et la main droite disent la fatigue du cœur en ce corps trop lourd. Le temps d'aimer est-il passé ? («Bonjour lunettes, adieu fillette.») Mais non, son cœur bat encore la chamade, pour Mᵐᵉ de Sainte-Aulaire, épouse de l'ambassadeur, pour la comtesse Cini... Amours de tête, amours chimériques du consul vieillissant pour les belles silhouettes aristocratiques...

Reste Giulia Rinieri, qui décidément l'aime vraiment, son amant vieux et laid, son premier amant par elle-même élu. Elle l'aime et le lui

Giulia Rinieri de' Rocchi (1801-1881, ci-dessous), alias Sienne, Vignano ou encore Mᵐᵉ Steinbach, possède une belle villa à Vignano, près de Sienne. Stendhal y fait plusieurs voyages pour la rencontrer, et entretient avec elle une de ses liaisons les plus durables.

prouve, dans sa Toscane, en 1832 et 1833, sans que la police ducale, collée aux basques du dangereux consul, remarque rien ! Mais elle a aussi besoin de se marier, ce qu'elle fait enfin le 24 juin 1833. «Eh bien donc, nous ne serons qu'amis», lui écrit-il les 20-21 avril, après avoir traversé, comme toujours, affres et tourments. En vérité, Giulia, toute réflexion faite, n'estime pas absolument nécessaire de sacrifier un consul à un mari. L'aura-t-on aimé, ce gros homme ardent et égoïste qui se veut si malheureux en amour ! Et faut-il que le désarroi de la solitude et l'angoisse de vieillir le taraudent, pour caresser l'idée d'épouser Mlle Vidau, de Civitavecchia !

«Acheter six foulards à Livourne et vingt paires de gants jaunes chez Cagiati à Rome»

Il avait eu droit à Paris, du 11 septembre au 4 décembre 1833.

Devoir porter des lunettes affecte fort le pourtant quinquagénaire consul, comme en témoigne le manuscrit de *Lucien Leuwen*. D'autant que la goutte, maladie du grand-père, s'était déjà mise de la partie : «J'ai eu une attaque de goutte au pied droit ; approche de la cinquantaine ; du reste le cœur plus ferme que jamais», note-t-il le 12 juin 1832. Muni de ses lunettes depuis le 1er septembre 1835, il dicte désormais ses textes : «Dicter est ennuyeux comme la peste, mais comment faire autrement ? [...] N'est-il pas singulier, à 26 x 2, d'être encore agacé par la présence de la machine qui copie ? Cet être-ci ne sera jamais blasé.»

Journal de mon Voyage

C'est au comte Louis Molé (1781-1855), qu'il ne connaissait pas, que Stendhal doit son poste consulaire, et, lorsqu'il fut devenu premier ministre de Louis-Philippe, de 1836 à 1839, le congé de trois ans avec traitement d'où jaillira *La Chartreuse de Parme*.
En 1838, *Bordeaux*

Le 26 mars 1836, il reçoit son deuxième congé (d'un mois) et abandonne aussitôt la *Vie de Henry Brulard*.

Il restera en fait absent trois ans, de mai 1836 à août 1839. Bénissons le comte Molé, ministre bienveillant, et sa maîtresse, et l'amie de sa maîtresse, la comtesse de Tracy, et Lingay, toujours influent, et d'autres sans doute, à qui nous devons cet exorbitant congé avec traitement, et donc *La Chartreuse de Parme* !

Toulouse

Stendhal sillonne le sud de la France. Il en reste un *Journal de voyage* dans le Midi de la France qu'il n'a pu intégrer dans les *Mémoires d'un touriste*, interrompues par l'éditeur.

Voilà revenus les plus beaux jours de l'Empire, moins la jeunesse : l'aisance à dix mille francs, Paris, les salons, les amis, les confrères, les théâtres, les libraires, les cafés, les journaux, les potins et nouvelles, les idées. Ivre de liberté, il la savoure en voyageant : pendant deux ans, il sillonne la France en tous sens, la Suisse, l'Allemagne, les Pays-Bas, la Belgique, pour le plaisir, et pour écrire les *Mémoires d'un touriste* (1838), qui se limitent à la France. Car la liberté, c'est la volupté d'écrire. De manuscrits découverts à Rome en 1833, dans des archives familiales, il tire et publie en revue des nouvelles (dites *Chroniques italiennes*).

Et les amours, qu'il nous a juré la principale affaire de sa vie ? La comtesse Curial («Menti») se dérobe froidement, Mᵐᵉ Jules Gaulthier, une amie, une admiratrice qui tâte de la plume, ne veut communier qu'en esprit. Des plaisirs plus solides lui «coûtent deux cents francs par mois» (Angela ne revenait pas plus cher que la grisette parisienne...), et Giulia, présente à Paris en 1837-1838, comble toujours son cœur : «La véritable douceur, lui dit-elle, est d'aimer.» Stendhal n'avait rien dit d'autre dans *De l'amour*, et il sort de chez elle, le 16 septembre 1838, en se répétant les cantilènes de Paisiello : l'art et l'amour ont même racine, l'érotique et l'esthétique échangent leurs pouvoirs, et le vrai roman, dont il ne trouve nulle

Mérimée (1803-1870, à gauche), que Stendhal surnomme le plus souvent Clara ou Clara Gazul (par allusion à l'une de ses œuvres), puis, à partir de 1837, Académus (!), est une sorte de double, plus jeune et plus sec, plus carriériste et moins génial, de son aîné «fort tourmenté par le besoin de locomotion» (Mérimée dixit). Stendhal le dit «susceptible d'attendrissement une fois l'an». Ci-dessous on reconnaît, de gauche à droite : Stendhal, Humboldt, Talleyrand, Gérard, Cuvier, assis dans son salon, Mérimée et Rossini.

trace autour de lui, devrait nous donner la rêverie de cette grâce, la grâce de Mozart, du Corrège, son peintre préféré.

Du «Mariage secret» à «La Chartreuse de Parme»

Mais chez Stendhal, la rêverie sentimentale ne se goûte vraiment qu'au voisinage du comique, dans le pétillement de la gaîté : le vrai roman doit renouveler l'extase de l'opéra-bouffe, de ce *Mariage secret* révélé un soir de 1800, en Italie, au jeune homme ébloui. Ce sera *La Chartreuse de Parme*, dont la première idée (tirer un *romanzetto*, un petit roman, d'une courte chronique italienne ramenée de Rome) lui vient le 16 août 1838, qu'il décide en septembre de transposer au XIXe siècle, et qu'il compose du 4 novembre au 26 décembre.

Prodigieux exploit, incroyable improvisation (vingt-deux à vingt-quatre pages dictées chaque jour), qui capitalise une vie, synthétise l'italianité et la modernité historico-politique d'après 1789,

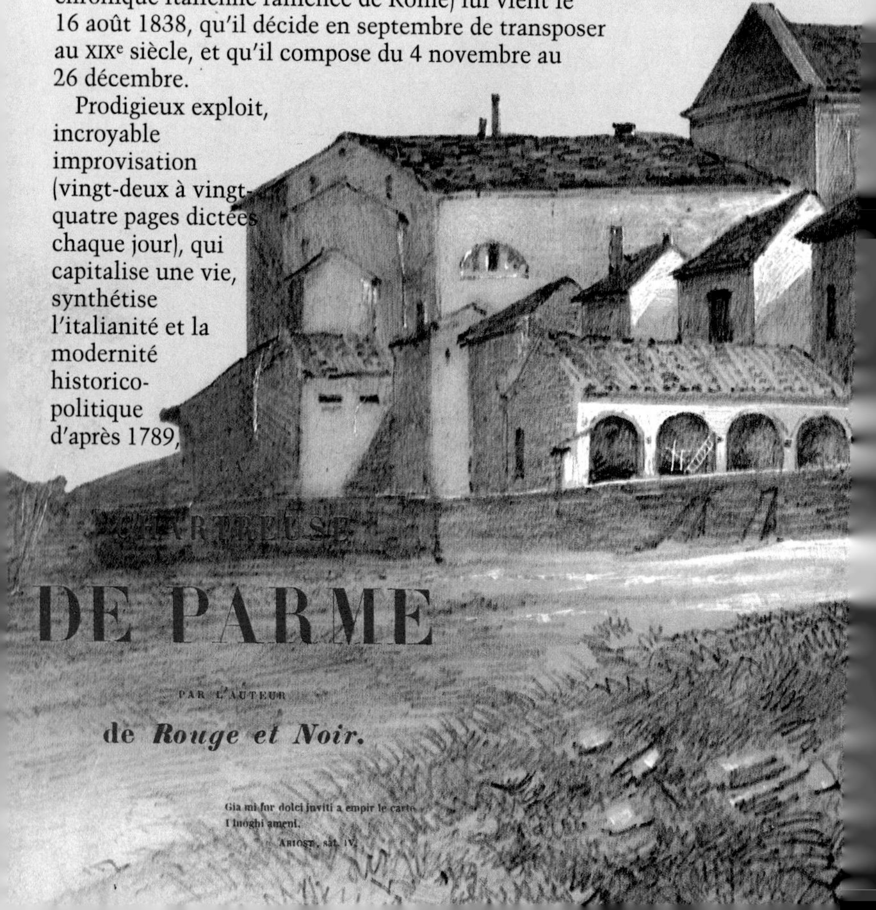

La chartreuse de Parme (ci-dessous), donne son titre, un peu inattendu, à l'un des plus célèbres romans de la littérature universelle. Stendhal n'a aucune prédilection particulière pour ce monument, pas plus que pour le duché de Parme, où règne l'ancienne épouse de Napoléon, Marie-Louise...

...Mais il était impossible au consul de France, brouillé notoirement et depuis fort longtemps avec la police autrichienne, de situer l'action en Lombardie-Vénétie, ou dans un Etat satellite de l'Empire austro-hongrois.

et chante l'euphorie de ces années parisiennes, de ces années heureuses. Car tout se passe comme si Paris, qui avait permis en 1800, par contraste, l'explosion du mythe italien, jouait maintenant, après l'étouffement consulaire, le rôle qu'avait alors joué Milan. Mais le bonheur inouï de la création – un des «miracles» de l'histoire littéraire ! – ne débouche nullement, dans le roman, sur une idylle : s'ouvrant sur la bataille de Waterloo, qui bloque l'essor des peuples et des individus permis par la Révolution française, la fiction s'achève sur la solitude et la nostalgie d'un amour perdu.

Le roman, qu'il vend deux mille cinq cents francs, paraît le 6 avril 1839, signé «par l'auteur du *Rouge et le Noir*», suivi en décembre par le dernier livre publié de son vivant, qui rassemble en un volume *L'Abbesse de Castro* et trois autres chroniques. Dès le 13 avril, il invente un autre roman tout différent, *Lamiel*, qu'il ne parviendra pas à achever, malgré tous ses efforts, ou à force peut-être de trop y réfléchir.

Que Parme soit un symbole de l'Italie écrasée par la défaite de Napoléon à Waterloo, éclate dans le monument parfait^ment imaginaire que Stendhal installe en plein centre de la ville, la fantastique tour Farnèse. C'est la prison où Clélia, fille du gouverneur, prend à jamais le cœur du détenu Fabrice del Dongo, futur archevêque. De Milan en liesse à Waterloo, de Waterloo à la tour Farnèse, de la prison à la chartreuse, l'Histoire surplombe les destins individuels.

Samiel,

Dicté

to

Janvier 40

En 1839, Dedreux-Dorcy, l'auteur des fresques de la Madeleine, peint deux portraits de Stendhal avec une barbe, le premier (ici) à la gouache, sorte d'esquisse du second, à l'huile. Ayant vu à Grenoble, en 1860, ce portrait à l'huile, l'impératrice Eugénie écrira à sa sœur : «Toute notre enfance est revenue à ma mémoire.» Par ses récits de l'Empire, en effet, Stendhal fascinait les deux fillettes, qui attendaient ses retours de Civitavecchia.

Il n'avait pas pu terminer non plus un autre projet romanesque, *Le Rose et le Vert*, ni même une *Vie de Napoléon*, dont il espérait pouvoir tirer sept mille francs. Qu'importe, puisque *La Chartreuse*, enchaînant directement sur la fin de *Henry Brulard*, nous raconte l'essentiel : l'entrée des Français à Milan, Waterloo et ses conséquences. Sans l'échec et la fragilité, Stendhal ne serait pas Stendhal, et sans doute l'aimerait-on moins.

MÉMOIRES SUR VIE DE NAPOLÉON

«Beyle vient de publier à mon sens le plus beau livre qui ait paru depuis cinquante ans», écrit Balzac, le 14 avril 1839, à M_{me} Hanska

Balzac, rencontré sur un boulevard, admira et tança avec superbe ; Stendhal promit de s'amender ; le public acheta en dix-huit mois les douze cents exemplaires. Mais Stendhal était retourné à Civitavecchia depuis le 10 août   1839

De même qu'il ne peut achever en Italie son roman *Lamiel*, constamment remanié – il en dicte une version, en janvier 1840, à son copiste (page de gauche) –, ce *Lamiel* qui tranche si curieusement sur le reste de l'œuvre, Stendhal n'avait pu venir à bout d'un autre projet bien plus ancien. C'est en 1817, en effet, à Milan, qu'il avait commencé une *Vie de Napoléon*, retravaillée sous un nouveau titre de novembre 1836 à juin 1837, et assorti de cet avertissement rassurant.

quand il reçut le célèbre article de Balzac sur *La Chartreuse* (septembre 1840). Le ministre Molé étant en effet tombé en mars 1839, son protégé avait dû quitter Paris le 24 juin.

Les plaintes recommencèrent : «Je ne puis écrire», «je suis malade d'ennui». Il est vrai que *Lamiel* lui posait d'insolubles problèmes. Sa santé aussi : le 1er janvier 1840, une syncope le fait tomber dans le feu en corrigeant la trente-cinquième page de *Lamiel*. Le 15 mars 1841, l'apoplexie frappe beaucoup plus fort («Je me suis colleté avec le néant»), aussi

À Messieurs de la Police.

Messieurs,

On ne parle ici que de choses arrivées avant la mort de Napoléon, mai 1821. Rien absolument n'est relatif à ce qui s'est passé depuis 1830. Plusieurs chapitres furent écrits vers 1826. On cite souvent les Mémoires d. Nap. et M. de Lascazes.

vit-il les mois suivants dans la crainte de la mort.

Il y a pourtant des «oasis dans ce désert de la vie» : la publication, à Florence, des *Idées italiennes sur quelques tableaux célèbres* (1840), ouvrage de Stendhal et d'Abraham Constantin, peintre suisse et fidèle compagnon ; une dernière chimère pour une belle Romaine, baptisée Earline ; de tendres rencontres, à Florence,

Amoureux d'«Earline» depuis le 16 février 1840, Stendhal entame le 6 mars un cahier d'une trentaine de pages : journal de son amour et dernier roman, *The last romance* le ramène une nouvelle fois à ses anciennes passions inassouvies, à ses «guerres» perdues, Alexandrine Daru et Métilde. Qui donc est Earline ? Sans doute la comtesse Cini, déjà chantée sous le nom de comtesse Sandre. Feux du couchant, irisés par la mémoire et l'imagination, comme ceux qui baignent le crépuscule de cette promenade romaine du Pincio...

en 1840, avec Giulia ; de dernières voluptés, à Civitavecchia, avec la femme du sculpteur Bouchot, qui lui aurait donné, en août 1841, une ou deux grandes joies, «*perhaps the last of his life*».

Le 21 octobre, il part pour Paris en congé de maladie. Ses forces reviennent, au point qu'il s'engage, le 21 mars 1842, à fournir, pour cinq mille francs, des nouvelles à la *Revue des Deux-Mondes*. Mais il tombe foudroyé dans la rue le lendemain, à sept heures du soir, et meurt le 23 à deux heures du matin.

Il avait confié le soin de sa survie à son cousin Romain Colomb et aux générations à venir. Ils eurent le bon sens de ne pas lui faire défaut. Dès la fin du XIXe siècle on lui voue un culte amoureux comme à nul autre écrivain. *Lo-gique*, aurait-il sans doute dit, en scandant son mot favori : qui ne voudrait, par la grâce d'une lecture, appartenir aux «*happy few*» – entrer dans ses livres comme il entra dans Milan.

Pourquoi ne sourirait-il pas, le 8 août 1841, sur ce beau crayon de Lehmann ? L'amie du peintre, Mme Bouchot, vient de lui donner sa peut-être dernière «victoire» : il en inscrit la date sur le dessin.

Épitaphe inscrite en 1832 déjà dans les *Souvenirs d'égotisme* : «Henri Beyle, Milanais, vécut, écrivit, aima. Son âme adorait Cimarosa, Mozart et Shakespeare. Il mourut à l'âge de... en 18...»

Errico Beyle

milanese

visse, scrisse, amò.

Quest'anima

adorava

Cimarosa, Mozart e Shakespeare

morì di anni ...,

il ... 18...

TÉMOIGNAGES ET DOCUMENTS

Art de composer les Romans.

Stendhal : le vrai et le faux ?

Il y a deux Stendhal : celui que les contemporains ont rencontré, celui que la postérité a découvert dans ses écrits intimes. A propos du premier, presque tous les témoignages s'accordent sur quelques traits essentiels : agressivité caustique, irrespect systématique, verve insolente ou bouffonne... Qu'il s'agisse d'un masque, Stendhal l'a dit. Mais il ne s'agit pas d'un faux Stendhal, dont il aurait promené le mannequin toute sa vie.

Quand Dieu s'en va, reste la police

H.B. fut d'abord, en 1850, une plaquette anonyme en vingt-cinq exemplaires et, refondu, figura en tête de la Correspondance inédite *de Stendhal* (1855). On a accusé ce texte célèbre de fixer l'image d'un Stendhal grotesque, incohérent, immoral. Portrait unilatéral, c'est certain, mais combien séduisant !

B[eyle], original en toutes choses, ce qui est un vrai mérite à cette époque de monnaies effacées, se piquait de libéralisme, et était au fond de l'âme un aristocrate achevé. Il ne pouvait souffrir les sots; il avait pour les gens qui l'ennuyaient une haine furieuse, et de sa vie il n'a pas su bien nettement distinguer un méchant d'un fâcheux.

Il affichait un profond mépris pour le caractère français, et il était éloquent à faire ressortir tous les défauts dont on accuse, à tort sans doute, notre grande nation : légèreté, étourderie, inconséquence en paroles et en actions. Au fond, il avait à un haut degré ces mêmes défauts; et pour ne parler que de l'étourderie, il écrivit un jour, de [Civita-Vecchia], à M. [de Broglie] une lettre chiffrée, et lui transmit le chiffre sous la même enveloppe.

Toute sa vie il fut dominé par son imagination, et ne fit rien que brusquement et d'enthousiasme. Cependant il se piquait de n'agir jamais que conformément à la raison. «Il faut en tout se guider par la Lo-gique», disait-il en mettant un intervalle entre la première syllabe et le reste du mot. Mais il souffrait impatiemment que la *logique* des autres ne fût pas la sienne. D'ailleurs il ne discutait guère. Ceux qui ne le connaissaient pas attribuaient à excès d'orgueil ce qui n'était peut-être que respect pour les convictions des autres.

–«Vous êtes un chat; je suis un rat, disait-il souvent pour terminer les discussions.»

Un jour nous voulûmes faire ensemble un drame. Notre héros avait commis un crime, et était tourmenté de remords. «Pour se délivrer d'un remords, dit B[eyle], que faut-il faire?» – Il réfléchit un instant. – «Il faut fonder une école d'enseignement mutuel.» Notre drame en reste là.

Il n'avait aucune idée religieuse, ou s'il en avait, il apportait un sentiment de colère et de rancune contre la Providence. «Ce qui excuse Dieu, disait-il, c'est qu'il n'existe pas.» […]

B[eyle] m'a toujours paru convaincu de cette idée très répandue sous l'Empire, qu'une femme peut toujours être prise d'assaut, et que c'est pour tout homme un devoir d'essayer. *Ayez-la; c'est d'abord ce que vous lui devez*, me disait-il quand je lui parlais d'une femme dont j'étais amoureux. Un soir, à Rome, il me conta que la comtesse [Cini] venait de lui dire *voi* ou lieu de *lei*, et me demanda s'il ne devait pas la violer. Je l'y exhortai fort. […]

La police de l'Empire pénétrait partout, à ce qu'on prétend; et Fouché savait tout ce qui se disait dans les salons de Paris. B[eyle] était persuadé que cet espionnage gigantesque avait conservé tout son pouvoir occulte. Aussi, il n'est sorte de précautions dont il ne s'entourât pour les actions les plus indifférentes.

Prosper Mérimée,
H.B., 1850

Une manière cruelle de dire les choses

J.C. Hobhouse, qui accompagnait Lord Byron lors de ses fameuses rencontres milanaises avec Henri Beyle, a recueilli les anecdotes époustouflantes du pseudo-confident de l'Empereur.

23 octobre 1816

Vu à l'Opéra dans la loge de Brême M. de Beyle, l'un des intendants du mobilier de la couronne, ancien secrétaire du cabinet de Napoléon; il nous a raconté des choses extraordinaires. […]

Beyle était au service personnel de Napoléon, pendant l'expédition de Russie. Après l'affaire de Maristudovitch, lorsque la cavalerie eut mis pied à terre, Napoléon perdit un moment la tête. Il signa une dizaine de décrets de promotions du nom de «Pompée». Beyle saisit un peu plus tard une occasion de lui dire : «Votre Majesté a commis une erreur de plume ici.» Il fit une grimace épouvantable, dit seulement : «Ah! oui», déchira la feuille des décrets et en signa une autre…

Pendant toute la retraite il fut déprimé. Son cheval ne pouvant tenir sur la glace, il dut mettre à terre et marcher en s'appuyant sur un bâton blanc. On dit communément en France d'un homme malheureux qu'il a «pris le bâton blanc». L'une des six ou sept personnes qui marchaient à ses côtés, dit un peu haut en plaisantant : «Ah! voilà l'Empereur qui marche avec le bâton blanc.» Loin de prendre la chose du bon côté, il s'écria d'un air sombre : «Oui, Messieurs! voilà les grandeurs humaines.»

M. de Beyle marcha à ses côtés, ce jour-là, pendant trois heures; il ne l'entendit pas prononcer un autre mot… […]

J'ai toutes sortes de raisons de croire que Beyle est digne de foi. Brême le considère comme tel. Mais je lui trouve une manière cruelle de dire les choses. Il a tout l'air d'un matérialiste et il l'est certainement.

J.-C. Hobhouse (Lord Broughton), *Napoléon, Byron et leurs contemporains*, trad. par Fournier, 1910

Le premier amour de l'impératrice Eugénie

Comme tout célibataire incapable de supporter femme ni famille, Stendhal adorait les enfants des autres. Mais que fait-il, auprès des deux petites filles extasiées, sinon débrider sur Napoléon son imagination romanesque?

Il venait chaque jeudi, chez ma mère; ce soir-là, en l'honneur de notre grand ami, nous nous couchions à neuf heures au lieu de huit, nous ne dînions pas, tant nous étions impatientes de l'entendre! A chaque coup de sonnette nous nous précipitions à la porte d'entrée… Enfin, nous le ramenions triomphantes au salon, le tenant chacune par une main et nous l'installions dans son fauteuil près de la cheminée… Il nous prenait toutes deux sur ses genoux; nous ne lui donnions pas le temps de respirer et nous lui rappelions la victoire où il avait laissé notre Empereur auquel nous avions pensé toute la semaine, attendant impatiemment le magicien qui le ressuscitait pour nous. Il nous avait communiqué son fanatisme pour le seul homme qu'il admirât… Nous pleurions, nous riions, nous frémissions, nous étions folles… Il nous montrait l'Empereur tour à tour rayonnant sous le soleil d'Austerlitz, pâle sous les neiges de Russie, mourant à Sainte-Hélène. Nous étions révoltées contre les Anglais… […]

Ma mère intervenant, nous grondait : «Laissez-le donc tranquille! Vous abusez de la complaisance de votre grand ami! C'est votre faute, ajoutait-elle, un homme comme vous ne devrait pas se laisser tyranniser par des enfants!
– Cela ne fait rien, répondait-il en nous embrassant, il n'y a plus que les petites filles qui sentent les grandes choses; leurs approbations me dédommagent des critiques des sots et des bourgeois.»

Comte Primoll, *L'Enfance d'une souveraine. Revue des Deux Mondes*, 15 octobre 1923

La comtesse de Montijo et ses deux filles : Paca et Eugénie, future épouse de Napoléon III

La douleur de Marie et l'homme en frac

A la taverne romaine de Lepri, Stendhal provoque les mêmes réactions, de rejet violent ou d'amusement pincé, que dans les salons et cénacles parisiens.

La taverne de Lepri est le rendez-vous journalier de toutes les intelligences d'artistes qui se rassemblent, à l'heure dite, devant un potage de parmesan et une bouteille d'orviete…

Il y avait surtout au bout de la table, où le peintre se tenait accoudé, un gros petit homme, en frac noir, au teint lustré qui trouvait moyen de choquer Kœnig et de l'irriter violemment. Prenant prétexte sans doute de la publication récente de son dernier livre sur Rome, il se recrutait un cercle à part, et s'établissait une chaire au milieu de cette tourbe d'auditeurs, – ayant bien soin de leur parler avant tout de la peinture sur verre et du Corrège – coquet dans la phrase et pincé dans le paradoxe, un de ces personnages qui s'établissent dans leur histoire ainsi que dans un fauteuil. Il parla longtemps, plein d'audace, de feu, de brio; il fut mordant, caustique et suranné dans ses traits; il eut surtout quelques-uns de ces jeux de mots suivis de grands ris tristes et forcés qui ne servent qu'à faire ressortir l'ennui. Il attaquait tout : Dante, sa religion et ses livres; Raphaël, sa religion et ses tableaux.

Kœnig demanda à son voisin de quel genre étaient les livres de cet homme.

— Il n'écrit et ne parle que de beaux-arts, lui dit un Français. Lisez plutôt ses deux premiers tomes sur Rome, ouvrage devenu le manuel du voyageur! Vous y verrez que l'épigramme est sa foi!

— Il est pourtant cruel de parler beaux-arts et de sentir

comme Voltaire, reprit le peintre!

Mais alors, et comme s'il se fût adressé à son cercle de disciples, le discoureur au frac noir continua : — Par exemple, Messieurs, voici à Saint-Pierre le groupe della Pieta; ce groupe admirable est dû au ciseau de Michel-Ange. Eh bien! nous voici à mille lieues de l'attendrissement en regardant ce sujet. Voyez plutôt : la Vierge a perdu ce fils, le plus aimable et le plus tendre des hommes.

— Je vous dis, Monsieur, que c'est une impiété, cria Kœnig en se levant. La douleur de Marie est une douleur sublime, une douleur de mère! Ne vous ai-je pas entendu dire tout à l'heure que Shakespeare était le premier créateur après Dieu? Eh bien! Monsieur, dites alors de Raphaël que c'est le premier *convertisseur* après le Christ… Quant à vous, continua-t-il en finissant, il vous sera impossible de le dépoétiser. Le petit sarcasme et la phrase décrépite de Voltaire échoueront toujours devant ses pages. Voilà le pape et l'apôtre, Messieurs, Raphaël, le seul Raphaël…

Ceux qui pouvaient se tenir debout se levèrent alors pour remercier Kœnig. Kœnig venait de venger l'une de leurs admirations.

— Pourquoi M. Kœnig ne dit-il pas cela au crâne de son Dieu? dit celui que Kœnig venait de poursuivre; il va ressusciter sous trois jours, car on doit en faire l'exhumation à Saint-Hilaire-la-Rotonde…

R. de Beauvoir,
Il pulcinella et l'Homme des Madones.
Paris, Naples, Rome,
Paris, 1834

Mr Myself, autoportraits

Stendhal n'a cessé de s'observer, de se décrire, de se souvenir. Son Journal, *ses lettres, ses deux autobiographies inachevées ne lui suffisaient pas : tout papier, voire tout support, appelait le griffonnage intime, décrypté par des générations de chercheurs. On se fait alors de Stendhal une tout autre image, frémissante et rêveuse, qu'il faut cependant accorder avec celle des témoins.*

Sur la ceinture du pantalon blanc

Quand une autobiographie impose avec une telle acuité le sentiment de la sincérité et de la vérité, et quand cette vérité éclaire d'un jour si fort les romans, il est bien difficile de ne pas adhérer à l'image que Stendhal se fait de lui-même, ou veut donner de lui-même à ses futurs lecteurs. Mais pourquoi vouloir traverser le miroir qu'un artiste nous tend? S'il nous trompe, c'est pour notre plaisir.

Je vais avoir cinquante ans, il serait bien temps de me connaître. Qu'ai-je été? que suis-je? En vérité, je serais bien embarrassé de le dire.

Je passe pour un homme de beaucoup d'es[prit] et fort insensible, roué même, et je vois que j'ai été constamment occupé par des amours malheureuses. J'ai aimé éperdument Mme Kubly, Mlle de Griesheim, Mme de Dipholtz, Métilde, et je ne les ai point eues, et plusieurs de ces amours ont duré trois ou quatre ans. Métilde a occupé absolument ma vie de 1818 à 1824. Et je ne suis pas encore guéri, ai-je ajouté, après avoir rêvé à elle seule pendant un gros quart d'heure peut-être. M'aimait-elle?

J'étais attendri et *[quelques mots illisibles]*. Et Menti, dans quel chagrin ne m'a-t-elle pas plongé quand elle m'a quitté! Là j'ai eu un frisson en pensant au 15 septembre 1826 à Saint-Omer, à mon retour d'Angleterre. Quelle année ai-je passée du 15 sep[tembre] 1826 au 15 sep[tembre] 1827! Le jour de ce redoutable anniversaire j'étais à l'île d'Ischia; et je remarquai un mieux sensible : au lieu de songer à mon malheur directement, comme quelques mois auparavant, je ne songeais plus qu'au *souvenir* de l'état malheureux où j'étais plongé en octobre 1826 par exemple.

B oîte de buis dans laquelle Stendhal a grifonné des notes.

Cette observation me consola beaucoup.

Qu'ai-je donc été? Je ne le saurais. A quel ami, quelque éclairé qu'il soit, puis-je le demander? M. Di Fior[e] lui-même ne pourrait me donner d'avis. A quel ami ai-je jamais dit un mot de mes chagrins d'amour?

Et ce qu'il y a de singulier et de bien malheureux me disais-je ce matin, c'est que mes *victoires* [comme je les appelais alors, la tête remplie de choses militaires] ne m'ont pas fait un plaisir qui fût la moitié seulement du profond malheur que me causèrent mes défaites.

La victoire étonnante de Menti ne m'a pas fait un plaisir comparable à la centième partie de la peine qu'elle m'a faite en me quittant pour M. de Rospiec.

Avais-je donc un caractère triste?… Et là, comme je ne savais que dire, je me suis mis à songer à admirer de nouveau l'aspect sublime des ruines de Rome et de sa grandeur moderne : le Colisée vis-à-vis de moi et sous mes pieds le palais Farnèse avec sa belle galerie de Charles Maderne ouverte en arceaux, le palais Corsini sous mes pieds.

Ai-je été un homme d'esprit? Ai-je eu du talent pour quelque chose? M. Daru disait que j'étais ignorant comme une carpe; oui, mais c'est Besan[çon] qui m'a apporté cela et la gaieté de mon caractère rendait fort jalouse la morosité de cet ancien secrétaire général de Besan[çon]. Mais ai-je eu le caractère gai?

Enfin, je ne suis descendu du Janicule que lorsque la légère brume du soir est venue m'avertir que bientôt je serais saisi par le froid subit et fort désagréable et malsain qui en ce pays suit immédiatement le coucher du soleil. Je me suis hâté de rentrer au *palazzo* Conti *(piazza Minerva)*; j'étais harassé. J'étais en pantalon de *[un blanc]* blanc anglais; j'ai écrit sur la ceinture en dedans : *16 octobre 1832. Je vais avoir la cinquantaine,* ainsi abrégé pour n'être pas compris : *J. vaisa voir la 5.*

Le soir, en rentrant assez ennuyé de la soirée de l'ambassadeur, je me suis dit : «Je devais écrire ma vie, je saurai peut-être enfin, quand cela sera fini dans deux ou trois ans, ce que j'ai été, gai ou triste, homme d'esprit ou sot, homme de courage ou peureux, et enfin un total heureux ou malheureux, je pourrai faire lire ce manuscrit à Di Fiore.»

Stendhal,
Vie de Henry Brulard, chapitre I

Une déclaration «allegro risoluto»

Pourquoi Stendhal a-t-il tant fantasmé sur la placide Alexandrine Daru? Mystères de la cristallisation à jamais interdits au lecteur... Le récit, dans le Journal, de la fameuse déclaration, conçue comme un combat, est un archétype stendhalien qui aboutira, avec Métilde Dembowski,en juin 1819, au fiasco de Volterra.

31 mai

Aujourd'hui, en me levant, piqué

d'encourir le ridicule d'un Oreste timide aux yeux de Mme D[u]b[i]-g[non] *e forse, forse dell'amato oggetto*, j'ai résolu d'être gai et de faire une déclaration *allegro risoluto*. J'en ai même écrit au crayon deux formules, j'ai porté ce papier toute la journée pour m'aider dans le besoin, et je le brûle dans ce moment.

La vanité m'a poussé à une bonne idée, celle de ne pas me déclarer d'une manière trop tragique, manière qui ne laisse pas de ressources, qui donne l'air niais, embarrasse la bonne volonté qu'une femme pourrait avoir, et j'étais assuré de frapper fort, quelque manière que j'employasse. J'ai donc dit à chacun ce qui pouvait l'amuser ou lui paraître plaisant. La présence de Mme D[e]shc[ên]s, que je crois juge compétent, m'excitait à faire de beaux coups. J'ai enfin occupé de moi par le pari de l'heure de silence, de 4 heures douze minutes à 5 heures douze minutes. J'ai été, ce me semble, parfaitement aimable, elle a été triste autant que son gai caractère le permet. Hier, j'étais mélancolique, elle était brillamment heureuse. Ces deux choses se tiendraient-elles?

Ce matin, en descendant vers les 9 heures, nous nous sommes trouvés seuls dans le salon. Elle était pâle, abattue, les yeux fatigués; peut-être a-t-elle pleuré. Elle m'a dit qu'elle n'avait presque pas dormi. Elle se plaint de cela depuis son séjour ici. Elle a essayé de chanter avec sa harpe : *Ruisseau*, etc., et y a renoncé, ne se trouvant pas de voix. [...]

Vers les 3 heures je fus très aimable, elle me regardait beaucoup, j'étais

tendrement, peut-être même y avait-il dans ses yeux quelque reproche d'être si gai. A 5 heures un quart, après le silence des petites filles, elle quitta son métier, et dit :

«Voyons, que je joue un peu de la harpe.»

Elle chanta : *Ruisseau...*, etc. ensuite : *Il est trop tard.*

Elle mit à cette dernière romance une expression qui me parut frappante; elle avait le regard de la passion, que je lui ai vu si rarement et qui va si peu avec son caractère, les yeux fixes, rouges et sérieux, le visage pâle et les mouvements de tête brusques. Elle me regardait à chaque instant. Il y eut un couplet, le dernier, je crois, qui me fit presque baisser les yeux, tant l'application était frappante : c'était absolument ma situation. Nouveau coup de poignard, parce que je vis la nécessité d'aller en avant. Nous dînons. Quelques minutes après dîner, elle me dit, avec un mouvement marqué :

«Mon c[ousin], venez faire un tour avec moi.»

[Ici, Stendhal a dessiné un schéma de l'itinéraire suivi avec les étapes marquées par des lettres et décrites ci-dessous.]

[...] De A à B, nous nous occupâmes de niaiseries qui cachaient un peu d'embarras mutuel. [...] De B en C, je tâchai de me faire un peu de cœur; arrivé au peuplier C, il me semble que je lui dis:

«Je suis bien nigaud, je ne suis pas heureux à Béche-ville.

— Oui, il me semble...», etc.

Elle me parla, je crois, *of my matrimony with Jenny*. Je lui réponds que ce n'était pas cela qui faisait mon malheur :

«Vous n'avez que de l'amitié pour moi, et moi je vous aime passionnément.»

En prononçant ces mots, j'étais

troublé; nous nous donnâmes le bras tout le temps du combat, dans ce moment je lui pris la main, que je serrai; je tentai même de la baiser. Elle me répondit que je ne devais pas songer à cela, que je ne devais voir en elle qu'une c[ousine] qui avait de l'amitié pour moi. Je répliquai que je l'aimais depuis dix-huit mois, qu'à Paris j'étais parvenu à cacher mon amour en cessant de la voir de temps en temps pendant huit ou dix jours, quand je sentais que je l'aimais trop… Je lui dis, entre autres choses spirituelles :

«Hier, j'étais bien malheureux.

— Et pourquoi?

— C'est que ça me tenait plus fort qu'à l'ordinaire.»

Stendhal,
Journal, 3 juin 1811

La sabreur et le philosophe

Depuis sa jeunesse, Stendhal ne cesse de vanter le philosophe Destutt de Tracy. Lorsqu'il le rencontre enfin, en 1817, l'admiration le paralyse comme devant les femmes trop aimées.

En 1817, l'homme que j'ai le plus admiré à cause de ses écrits, le seul qui ait révolution chez moi, M. le comte de Tracy, vint me voir à l'hôtel d'Italie, place Favart. Jamais je n'ai été aussi surpris. J'adorais depuis douze ans l'*Idéologie* de cet homme qui sera célèbre un jour. On avait mis à sa porte un exemplaire de l'*Histoire de la peinture en Italie*. Il passa une heure avec moi. Je l'admirais tant que probablement je fis *fiasco* par excès d'amour. Jamais je n'ai moins songé à avoir de l'esprit ou à être agréable. J'approchais de cette vaste intelligence, je la contemplais, étonné; je lui demandais de lumières. D'ailleurs, en ce temps-là, je ne savais pas encore *avoir de l'esprit*. Cette improvisation d'un

ÉLEMENS
D'IDÉOLOGIE.

PREMIÈRE PARTIE.

IDÉOLOGIE
PROPREMENT DITE.

PAR A. L. C. DESTUTT-TRACY, *Sénateur*.

esprit tranquille ne m'est venue qu'en 1827.

M. Destutt de Tracy, pair de France, membre de l'Académie, était un petit vieillard remarquablement bien fait et à tournure élégante et singulière. Il porte habituellement une visière verte sous prétexte qu'il est aveugle. Je l'avais vu recevoir à l'Académie par M. de Ségur, qui lui dit des sottises au nom du despotisme impérial; c'était en 1811, je crois. Quoique attaché à la cour, je fus profondément dégoûté. «Nous allons tomber dans la barbarie militaire; nous allons devenir des général Grosse», me disais-je. Ce général, que je voyais chez Mme la comtesse Daru, était un des sabreurs les plus stupides de la garde impériale. C'est beaucoup dire. Il avait l'accent provençal et brûlait surtout de sabrer les Français, ennemis de l'homme qui lui donnait la pâture. Ce caractère est devenu ma bête noire, tellement que le soir de la bataille de la Moscova, voyant à quelques pas les restes de deux ou trois généraux de la garde, il m'échappa de dire : «Ce sont des insolents de moins!» Propos qui faillit me perdre et d'ailleurs inhumain.

Stendhal,
Souvenirs d'égotisme, 1832

«Le lecteur a-t-il jamais été amoureux fou?»

Sans donner dans l'auto-héroïsation de l'écrivain-génie méconnu, Stendhal n'a cessé de croire en sa gloire posthume. Il était pourtant connu dès la Restauration, avant même d'avoir écrit le moindre roman. Et la fin du siècle le voit solidement installé au firmament des grands auteurs.

G érard Philipe et Danièle Darrieux dans *Le Rouge et le Noir*, de Claude Autant-Lara.

«Ah! c'est beau comme l'italien»

Il est toujours impressionnant de voir un génie reconnaître et consacrer, sans aucune raison d'intérêt (Stendhal ne pouvait rien pour Balzac), un autre génie à qui ses contemporains ne reconnaissaient qu'un beau talent. Même si ses raisons d'admirer ne sont plus tout à fait les nôtres. A défaut du célèbre mais trop long article sur La Chartreuse, *voici deux lettres de Balzac à Stendhal.*

20 Mars 1839

Monsieur,

J'ai déjà lu dans *le Constitutionnel* un article tiré de la *Chartreuse* qui m'a fait commettre le péché d'envier. Oui, j'ai été saisi d'un accès de jalousie à cette superbe et vraie description de bataille que je rêvais pour les scènes de la vie militaire, la plus difficile portion de mon œuvre, et ce morceau m'a ravi, chagriné, enchanté, désespéré. Je vous le dis naïvement. C'est fait comme Borgognone et Vouvermans, Salvator Rosa et Walter Scott. Aussi ne vous étonnez pas si je saute sur votre offre, si j'envoie chercher le livre et comptez su ma probité pour vous dire ma pensée. Le fragment va me rendre exigeant, et avec vous on peut tirer des lettres de change de curiosité sans trop de crainte. Je suis un lecteur si enfant, si charmé, si complaisant qu'il m'est impossible de dire mon opinion après la lecture, je suis le plus bénin critique du monde et fais bon marché des taches qui sont au soleil, ma froideur et mon jugement ne me reviennent que quelques jours après.

Mille compliments gracieux.

De Bc

Quand je suis à Paris, et j'y suis pour quelques jours, c'est 108, rue Richelieu à 4 heures.

LITTÉRATURE.

ETUDES SUR M. BEYLE.

(FRÉDÉRIC STENDALD).

Dans notre époque, la littérature a bien évidemment trois faces ; et loin d'être un symptôme de décadence, cette triplicité, expression forgée par M. Cousin en haine du mot *trinité*, me semble un effet assez naturel de l'abondance des talens littéraires : elle est l'éloge du dix-neuvième siècle qui n'offre pas une seule et même forme, comme le dix-septième et le dix-huitième siècle, lesquels ont plus ou moins obéi à la tyrannie d'un homme ou d'un système.

Ces trois formes, faces ou systèmes, comme il vous plaira de les appeler, sont dans la nature et correspondent à des sympathies générales qui devaient se déclarer dans un temps où les Lettres ont vu, par la diffusion des lumières, s'agrandir le nombre des appréciateurs, et la lecture faire des progrès inouis.

5 Avril 1839

Monsieur,

Il ne faut jamais retarder de faire plaisir à ceux qui nous ont donné du plaisir. *La Chartreuse* est un grand et beau livre. Je vous le dis sans flatterie, sans envier, car je serais incapable de le faire, et l'on peut louer franchement ce qui n'est pas de notre métier. Je fais une fresque et vous avez fait des statues italiennes. Il y a *progrès* sur tout ce que nous vous devons. Vous savez ce que je vous ai dit sur *Rouge et Noir*. Eh bien ici tout est original et neuf! Mon éloge est absolu, sincère. Je suis d'autant plus enchanté de vous écrire ce qui est dans cette page que beaucoup d'autres, tenus pour spirituels, sont arrivés à un état complet de sénilité littéraire. Cela posé voici non pas les *critiques*, mais les *observations*. Vous avez commis une faute immense en posant *Parme*, il ne fallait nommer ni l'*Etat*, ni la *Ville*, laisser l'imagination trouver le prince de Modène et son ministre ou tout autre. Jamais Hoffmann n'a manqué d'obéir à cette loi sans exception dans les règles du roman, lui le plus fantasque! Laissez tout indécis comme réalité, tout devient réel; en disant Parme, aucun esprit ne donne son consentement.

Il y a des longueurs, je ne les blâme pas, ceci ne regarde pas les gens d'esprit, les hommes supérieurs, ils sont pour vous et ça leur va; mais je parle pour le *pecus*. Il s'éloignerait. Il n'y a plus de longueurs passé le premier volume.

Cette fois vous avez été parfaitement clair. Ah! c'est beau comme l'italien et si Machiavel écrivait de nos jours un roman, ce serait *la Chartreuse*. Je n'ai pas dans ma vie adressé beaucoup de lettres d'éloges, aussi vous pouvez croire à ce que j'ai le plaisir de vous dire.

Il faudra si la supériorité du livre vous permet de voir promptement la 2[e]

édition, avoir le courage de reporter à la fin, en quelques développements nécessaires, les longueurs à supprimer au commencement. Cela tourne trop court eu égard au torse et à ses magnificiences. Puis il manque le côté physique dans la peinture de quelques personnages, mais c'est un rien, quelques touches. Vous avez expliqué l'âme de l'Italie. Vous voyez que ne je vous en veux pas du mensonge que vous avez écrit sur mon exemplaire, et qui m'a fait passer quelques nuages sur le front, car sans avoir peur d'être pris par vous pour un homme vulgaire, je sais tout ce qui me manque et le savez aussi, c'est de cela qu'il faut me parler. Vous voyez que je vous traite en ami.

De Balzac

Pour aimer les coups de pied au cu donnés à Rassi, j'aurais voulu que vous le montrassiez chez lui ou chez sa maîtresse, dans une petite scène d'intérieur qui *préparât la petite de la fin*, la mûrisse.

Piétiner le Rouge et le Noir

On ne perd pas son temps à lire la préface de Paul Valéry à Lucien Leuwen, *car il s'agit en fait d'une introduction à la lecture de Stendhal.*

Ce fut un être bien divertissant que ce Beyle, habité d'une grande envie de scandalise, jointe à des ambitions plus exquises. Il manque rarement de faire observer que l'on doit se formaliser de ce qu'il dit. Il n'est pas sans y avoir assez bien réussi. Il provoque les artistes par son style, les puissances par son irrespect, les femmes par son cynisme et ses systèmes. La faconde, les opinions, le «toupet» de cet homme de tant d'esprit font songer par moments à quelqu'un de ces commis-voyageurs préhistoriques qui

LE ROUGE ET LE NOIR.

CHRONIQUE DE 1830.

CHAPITRE PREMIER.

UNE PETITE VILLE.

éblouissaient, excédaient leur coin de table d'hôte, au temps des dernières diligences et des premières locomotives. mais ce Gaudissart descendu au *Grand Hôtel de l'Europe et de l'Amour* est un original du premier ordre. Ce qu'il débite vit, vivra, et fera vivre. Sa camelote étincelante et singulière excitera bien des têtes philosophiques. [...]

Il faudrait faire un *Monologue de Stendhal*. Il ne serait que de phrases de lui, prélevées dans toute son œuvre, et jointes. On y lirait d'un trait tous ses problèmes.

Vivre. Plaire. Etre aimé. Aimer. Ecrire. N'être pas dupe. Etre soi, — et pourtant *parvenir*. Comment se faire lire? Et comment vivre, méprisant ou détestant tous les partis?

Où vivre? L'Italie est sous les princes et les prêtres. Paris est d'un affreux climat, et tout le monde calcule. Peu de passion, trop de vanités. On peut y être homme d'esprit.

Reste l'avenir. [L'illusion de la postérité lui reste]. Il faut se faire une politique de la gloire future. Dans cinquante ans, ce qui me plaît plaira. Ce qui me fait *moi* animera les esprits qui disposeront alors de la gloire définitive. Alors on méprisera ce qui est célèbre aujourd'hui. On se moquera de Maistre et de Bonald. Chateaubriand et le style

poétique sont devenus impossibles. D'ailleurs on s'ennuiera. On aura les deux Chambres et le genre républicain d'Amérique aura triomphé partout. L'hypocrisie aura changé de masque...

Il faut cependant durer, traverser un demi-siècle. Comment traverser sans périr quarante ans de romantisme pour aborder à l'éternité littéraire? [...]

Paul Valéry,
Préface à Lucien Leuwen,
in *Variétés I*

H.B. est à mes yeux le type d'un certain esprit bien plus qu'un homme de lettres. Il est trop particulièrement soi pour être réductible à un écrivain. C'est en quoi il plaît et déplaît, et me plaît.

J'ai vu Pierre Loüys insulter violemment sa prose intolérable, jeter, piétiner le *Rouge et le Noir*, avec une étrange, et peut-être juste, fureur.

Mais Stendhal tel qu'il est, quel qu'il soit, est devenu malgré les Muses, malgré sa plume et comme malgré soi-même, l'un des demi-dieux de nos Lettres, un maître de cette littérature abstraite et ardente, plus sèche et plus légère que toute autre, qui est caractéristique de la France. C'est un genre qui ne compte qu'avec les actes et les idées, qui dédaigne le décor, qui se moque de l'harmonie et des équilibres de la forme. Il est tout dans le trait, dans le ton, la formule et la flèche; il prodigue les raccourcis et les réactions vives de l'esprit. Sa manière est toujours rapide, volontiers insolente; il semble sans âge, et en quelque sorte sans matière; il est personnel à l'extrême, directement centré sur l'auteur, déconcertant comme un homme plein de ripostes, et il tient à l'écart le dogmatique et le poétique qu'il déteste identiquement.

Paul Valéry,
op. cit.

Une cohérence déroutante

L'essai de Taine sur Stendhal, paru en 1866, fait date entre la mort de l'écrivain et sa consécration postérieure, en fin de siècle.

Dans *Rouge et Noir*, Mlle de la Mole, Mme de Rênal, le marquis, Julien, sont de grands caractères. Tâchons d'en expliquer un seul, le principal et le plus étrange, celui de Julien. A la fois timide et téméraire, généreux, puis égoïste, hypocrite et cauteleux, et un peu plus loin rompant l'effet de toutes ses ruses par des accès imprévus de sensibilité et d'enthousiasme, naïf comme un enfant, et au même instant calculateur comme un diplomate, il semble composé de disparates. On ne peut guère s'empêcher de le trouver ridicule et affecté. Il est odieux à presque tous les lecteurs, et fort justement, du moins au premier aspect. Parfaitement incrédule, et parfaitement hypocrite, il annonce le projet d'être prêtre et va au séminaire par ambition. Il hait ceux avec qui il vit, parce qu'ils sont riches et nobles. Dans les maisons où il reçoit hospitalité et protection, il devient l'amant de la femme ou de la fille, laisse le malheur partout derrière lui, et finit par assassiner une femme qui l'adorait. Quel monstre et quel paradoxe! Voilà de quoi dérouter tout le monde; Beyle jette ainsi sous nos pieds des épines, pour nous arrêter en chemin; il aime la solitude, et écrit pour n'être pas lu. Lisons-le pourtant, et nous verrons bientôt ces contradictions disparaître. Car à quels signes doit-on reconnaître un caractère naturel? Faut-il que nous en ayons rencontré de semblables? Point du tout, car notre expérience est toujours étroite, et il y a bien des espèces d'âmes que nous n'avons point remarquées ou que nous n'avons point comprises; et tel est Julien, puisque l'auteur le donne pour un caractère original et d'élite. Un caractère est naturel quand il est d'accord avec lui-même, et que toutes ses

Piazza Belgioioso à Milan, ou se trouvait la maison de Métilde.

oppositions dérivent de certaines qualités fondamentales, comme les mouvements divers d'une machine partent tous d'un moteur unique. Les actions et les sentiments ne sont vrais que parce qu'ils sont conséquents, et l'on obtient la vraisemblance dès qu'on applique la logique du cœur. Rien de mieux composé que le caractère de Julien.

Taine,
Essais de critique et d'histoire, 1866

«En pleine surchauffe romantique»

En soulignant avec un tel brio l'enracinement de Stendhal dans les Lumières, Julien Gracq rappelle une évidence trop souvent voilée par la romanticisation forcenée d'un écrivain qui ne se plie pas aux divisions universitaires de l'histoire littéraire.

Le ton de légèreté enjouée sur lequel Stendhal parle du conflit des classes sociales [l'abbé Pirard chez le marquis de la Mole] appartient tout entier au dis-huitième siècle, siècle qui demeure pour Balzac comme s'il n'avait jamais existé. Il y a entre eux non seulement exclusion réciproque de leurs espaces romanesques, mais décalage dans le *moment* historique du regard, et, à cause de ce décalage, il y a chez Stendhal, par rapport, à son récit, une sorte de distanciation qui signe ses livres plus intimement peut-être qu'aucune autre particularité. *Le Rouge et le Noir*, c'est certes Stendhal et son génie, mais c'est parfois aussi comme s'il avait été accordé à Laclos ou à Diderot, au rebours de la chronologie, de raconter la Restauration. Cela ne tient pas seulement au ton, à l'omniprésence d'une volonté de démystification, au scepticisme généralisé. L'opacité, la fatalité de la structure sociale, dont on ressent à chaque page de Balzac le poids physique, n'ont chez Stendhal d'autre réalité que semi-féerique. Laissons de côté *La Chartreuse*, où l'argent ne joue aucun rôle, et où les rapports sociaux entre riches et pauvres sont traités à peu près comme ceux des rois et des bergères dans le roman pastoral. Mais, si on prend pour exemple *Le Rouge et le Noir*, force est bien de constater, malgré le réalisme apparent de l'ensemble, que les deux vraies réalités balzaciennes, l'argent et la promotion sociale, y sont traitées sur le pur mode des contes de fées. Malgré tous les calculs de son ambition, l'argent ne parvient à Julien Sorel que sous la forme anonyme d'une mystérieuse chez le marquis de la Mole. Il n'y a d'ailleurs à aucun moment, dans la carrière de l'«arriviste» Julien Sorel, la moindre relation entre la volonté et les résultats. Cela parce que Balzac, quand il est optimiste, est le romancier de la réussite planifiée, et Stendhal celui du bonheur, toujours plus ou moins enfant du miracle [chez lui, de la prison]. La seule morale sociale qu'on peut tirer de ses livres est que les *buts* ne servent à rien, si ce n'est à communiquer à une vie le mouvement au cours duquel le bonheur a chance de se présenter à la traverse, et c'est la morale d'une classe «arrivée», celle des nobles de cour amis du plaisir, spirituels et désabusés, des salons du XVIIIᵉ siècle, dont sont également frères attardés le marquis de la Mole et le comte Mosca, les deux mentors véritables, sur le chemin de la vie, respectivement de Julien et de Fabrice. [...]

Le Rouge et le Noir, paraissant en pleine surchauffe romantique, presque au lendemain de la première d'*Hernani*, faisait à première vue de Stendhal, par l'écriture comme par le genre d'esprit, un épigone fané des petits maîtres cyniques, ironiques et blasé, du dix-huitième siècle, beaucoup plus proche de Crébillon fils que de Balzac, et ce vernis suranné camouflait tout le reste. Nous ne voyons aujourd'hui dans le livre que le renouvellement de fond en comble, en profondeur, du roman élégant et sec du XVIIIe siècle; les contemporains, eux, ne voyaient que la croûte factice de scepticisme et de persiflage voltairien, qui dut leur paraître vieillotte. […]

Un des traits de Stendhal qui, dans l'écriture, l'apparentent le plus étroitement au dix-huitième siècle, est la désinvolture avec laquelle il évoque toujours la mort violente, à la guerre, en duel, par assassinat, suicide ou exécution; c'est toujours chez lui le ton de l'abbé Prévost : «Tiens, voilà Lescaut : il ira ce soir souper chez les anges!» celui de la guerre en dentelles et des aristocrates en hasard de guillotine.

Julien Gracq,
En lisant, en écrivant,
Corti, 1981

«D'où la solitude. D'où le destin»

Quel statut, quelle importance accorder à la politique dans les romans stendhaliens? Il s'agit là sans aucun doute d'une question majeure, et d'un différend permanent chez les lecteurs de Stendhal.

Roman de l'argent, *Lucien Leuwen* est aussi — vieille fidélité de son auteur : un roman «républicain», le roman d'un héros «républicain». Mais quel singulier roman républicain, et quel singulier roman d'un républicain! Non seulement on n'y *voit* pas les *masses* républicaines; non seulement on n'y voit jamais le *peuple* républicain, en sa chair; non seulement les seuls républicains y sont un intellectuel fils de grand bourgeois et quelques militaires naïfs coupés des masses, mais encore la république n'y est jamais même promesse! Elle «tarde trop à venir» pour le héros, dont la société repousse «les qualités actuelles», mais aussi, à la différence de ce qui se passera chez Vallès, chez Erckmann-Chatrian, elle ne fait réellement rien *vivre* ni en épaisseur ni en devenir, ni en message : les pauvres tisserands contre qui on lâche les soldats n'ont qu'une réaction de survie et n'ont certes pas la moindre idée sur la manière dont pourrait être réorganisée la société. Les origines sociales de l'auteur suffisent-elles à rendre compte de cet aspect du roman?

On le sait depuis *Le Rouge* : le peuple est une non-force, une absence. Le peuple ne peut que subsister et se vendre, au plus réagir avec violence. C'est lui qui fournit, avant les espions de *Lucien Leuwen*, avant les séminaristes crasseux et ambitieux, condisciples de Julien Sorel, la foule superstitieuse de Bray-le-haut, prosternée, lors de la visite du roi à Verrières, non tant devant les reliques d'un saint que devant les dix mille bouteilles du marquis de La Mole. Vision de bourgeois (alliance des chaumières et des châteaux)? Vision vraie.

Déjà, au XIXe siècle, la droite ne gouverne qu'avec un consensus populaire mystifié. Et lorsque dans le roman de 1835 le peuple insulte les agents de pouvoir, il ne peut faire le jeu que des oppositions bourgeoises. […]

Quelle relation, dira-t-on, avec l'histoire d'un jeune homme? Mais c'est que ce jeune homme *voudrait* être républicain, et qu'il ne le *peut* pas. Il est bien persuadé que ce château de cartes de friponnerie ne saurait durer dix ans. Mais qui (ou quoi) le fera tomber? Tout le monde n'est-il pas d'accord? Dès lors : «Comment peut-on estimer assez les hommes, cette matière sale, pour être de l'opposition?» Quel langage pour un républicain! Mais aussi faut-il qu'une opposition ait un avenir… C'est ici que tout se noue. Lucien, comme le JE des pamphlets de 1823 – 1825, cherche son parti et ne le trouve pas sinon dans les mouvements de son cœur : «être humain est un parti», note Stendhal en marge de ce passage sur Mme Grandet «En la voyant évanouie, ses traits, sans expression autre que la hauteur qui leur était naturelle, lui rappelèrent l'expression qu'ils avaient lorsqu'il lui présentait l'image des prisonniers mourant de froid et de misère sur leurs charrettes. Et, au milieu d'une scène d'amour, *Lucien fut homme de parti*». Mais ce parti de l'humain, il n'a pas d'existence historique. D'où la solitude. D'où le destin.

Comme tout grand roman, *Lucien Leuwen* est le roman d'un destin, mais jamais de manière aussi claire, jamais de manière directe, un destin n'a été ainsi lié à l'Histoire, donné à lire comme historique. Il y a un mystère Lucien? Mais, la clé s'en trouve pratiquement tout entière, plus que dans une nature et dans un caractère, dans l'absence ou la faiblesse en avant, [dans le prolongement des mouvements du cœur et de l'esprit] d'un relais démocratique.

P. Barbéris,
Préface de Lucien Leuwen,
in Stendhal, Œuvres, tome II,
Livre Club Diderot, 1974

«Le sérieux est l'anti-culture»

Est-ce seulement en musique que Stendhal se révélerait «un nostalgique»? Ce que Michel Crouzet dit si justement de la musique, on est tenté de l'étendre à bien d'autres aspects de l'œuvre et de l'homme. Ce n'est pas forcément en regardant en avant qu'on devance son temps. Se repose donc la question du romantisme stendhalien.

En musique, Stendhal est un nostalgique, que la Scala satisfait *encore*. D'abord parce que l'*opera buffa* dans lequel il a enfin trouvé son comique, le comique fou, aérien, impossible, qui réalise le grand jeu de l'esprit et qui a le charme de la convention, de la fantaisie, de la verve, du grotesque, du romanesque, l'*opera buffa* qui est pour lui le chef-d'œuvre parfait, est en train de périr; il survit, et Rossini est l'un des derniers grands auteurs «bouffes». Comprenons-nous encore ce genre disparu, identifié à la musique frivole et légère? Pour Stendhal, le comique est la pierre de touche d'une civilisation; le sérieux est l'anti-culture. C'est dire s'il serait heureux au XXe siècle. Il y a en lui tout un dilettante pas trop distingué, qui adore le vaudeville, les marionnettes, les farces, à Milan en particulier les poètes dialectaux, et l'immortelle *Prineide* de Grossi, qu'il traduira plusieurs fois, et surtout le mouvement endiablé et moqueur du «bouffe». Il y satisfait ce qui le définit sans doute le plus substantiellement : son énergie comique, ou passion du jeu, si l'on donne au mot son sens général et son sens théâtral. Le jeu, c'est la poésie; et le jeu ce n'est pas seulement le spectacle fait pour le rire, c'est le jeu absolu et illimité, le spectacle qui s'amuse de lui-même, qui s'oppose à lui-même dans ce va-et-vient, cette juxtaposition qui l'ont enchanté et qui sont la seule manière de l'émouvoir, du sentiment et du rire; car le «bouffe» est lyrique aussi, et tendre, fait de contrastes et d'oppositions, entre airs et paroles, airs et situations, musique et musique, et c'est cette exubérance, cette incertitude de la tonalité, cet approfondissement ludique, cette sorte d'incertitude de la diction musicale toujours amusée d'elle-même et se moquant de tout, qui constitue dans le style de Stendhal un «effet bouffe» qui transpose le mouvement musical. Le «bouffe» est euphorisant : «L'effet de la musique du *Matrimonio segreto* est de me faire trouver moins d'obstacles à tout.» Le comique dramatique étranger à cette polyphonie des valeurs est méchant, car satirique et sec, il ne se déroule que sur un seul plan de ton et de sens.

Rossini devait dire à propos de sa «Petite messe solennelle» : «Mon Dieu j'étais né pour l'*opera buffa*.» Stendhal en est convaincu et voit dans sa personne même un héros du «bouffe». Non sans regrets : car sur un autre versant, du côté mozartien, la musique est le domaine privilégié de la mélancolie, de la douleur d'exister dans l'imparfait, du désespoir transcendé et apaisé; elle est lente, retardée, pensive, rêveuse, elle ne fait plus battre le pouls dans une accélération de la vie, elle console d'exister en transformant le trouble et le chagrin en

pitié, en donnant l'espoir, la certitude du monde parfait dont la féerie *romanesque* de l'opéra est la face visible. A certains égards, Stendhal s'écarte des effets de violence, d'occupation envoûtante du sujet de la musique romantique; son écoute est extatique et libre; on trouve chez lui déjà cette fidélité au *plaisir* (c'est la fonction du Sud, que l'*esthétique* ne soit qu'un prolongement sans faille du plaisir physique, de l'épanouissement du désir), qu'un Nietzsche opposera au wagnérisme, comme à toute recherche du bouleversement, de la transe, de l'adhésion totale. Stendhal est un nostalgique du «canto spianato», ce chant large et lié, qui se perd au XIXe siècle et que les cantatrices désapprennent. Rossini lui-même l'abandonne faute de trouver des voix qui en soient capables : c'est cette évolution qui le sépare de Stendhal, car elle conduit au renforcement de l'orchestration harmonique et à une montée de la voix dans l'agilité et la stridence. Stendhal aime le timbre sombre, voilé, grave, un peu rauque de la voix féminine, la voix de poitrine, et non la voix de tête, brillante, acrobatique; il lui faut le «legato», et non l'allegro», la voix naturelle, mesurée, conduite, étalée dans toute son étendue, depuis la parole jusqu'au chant pathétique; la montée vers les sons aigus, les accents excessifs, vers la rapidité, et la virtuosité nuit au plaisir de Stendhal, qui par là même ne peut suivre l'évolution de l'opéra romantique vers le drame, ou le poème continu et construit, intense et tragique, puissamment et entièrement orchestré, essayant de fuir la convention lyrique dans la violence d'un orchestre fort et soutenu et la vraisemblance de l'action.

Michel Crouzet,
Stendhal ou Monsieur moi-même,
Flammarion, 1990

D omenico Cimarosa.

«La politique comme accommodement»

Qu'y a-t-il d'italien, dans La Chartreuse, *pour un Italien? Il revenait à Italo Calvino de répondre à cette simple et redoutable question.*

Une lecture historique et politique de la Chartreuse offre une voie facile et presque obligée, ouverte déjà par Balzac [qui définit le roman comme le *Prince* d'un nouveau Machiavel!]; de même qu'il s'est révélé tout aussi facile et obligé de démontrer que la prétention chez Stendhal d'exalter les idéaux de liberté et de progrès étouffés par la Restauration reste tout à fait superficielle. Mais, précisément, la légèreté de Stendhal peut nous donner une leçon historique et politique qu'il ne faut pas sous-estimer, chaque fois qu'il nous montre avec quelle facilité les ex-jacobins ou les ex-bonapartistes deviennent [ou demeurent] des membres importants et zélés de l'*establishment* légitimiste.

Que de tant de prises de position et de tant d'actions, même lourdes de risques, qui semblaient provoquées par des convictions absolues, il se soit révélé par la suite qu'il y avait bien peu de chose derrière elles, c'est là un fait qui a été vu et revu bien des fois, à Milan et ailleurs, mais ce qu'il y a de beau dans *la Chartreuse*, c'est que cela y est constaté sans en faire un scandale, comme une chose qui va de soi.

Ce qui fait de *la Chartreuse de Parme* un grand roman «italien», c'est le sens de la politique comme accommodement calculé et distribution des rôles; de là ce prince qui, tandis qu'il poursuit les jacobins, se préoccupe déjà d'établir avec eux de futurs équilibres qui lui permettront de se mettre à la tête de

À Milan, Stendhal fréquentait assidûment la loge de Lodovico di Brema (ci-dessus), à la Scala

l'imminent mouvement d'unité nationale; de là le comte Mosca qui, d'officier napoléonien, devient ministre réactionnaire et chef du parti *ultra* (mais prêt à encourager une faction d'*ultras* extrémistes, à seule fin de pouvoir donner une preuve de modération en se détachant d'eux), et tout cela sans être le moins du monde impliqué dans son essence intime.

A mesure que l'on avance dans le roman, on voit s'éloigner toujours davantage l'autre image stendhalienne de l'Italie comme pays des sentiments généreux et de la spontanéité de vivre, ce lieu du bonheur qui s'ouvrait au jeune officier français à son arrivée à Milan. Dans *la Vie d'Henry Brulard*, Stendhal, parvenu au point de raconter ce moment, de décrire ce bonheur, interrompt le récit : «On échoue toujours à parler de ce qu'on aime.»

Italo Calvino,
La Machine Littérature,
Le Seuil, 1984
[«Petit guide de *La Chartreuse*»].

En traversant la Stendhalie

Héritier d'une vieille tradition aristocratique, Stendhal aimait se faire passer pour un dilettante, avant tout curieux de vivre et d'aimer, qui écrivait pour se désennuyer, pour se donner du bonheur, sans tomber dans le mercenariat littéraire. Devenir consul plutôt que forçat de la plume. Reste qu'il a beaucoup écrit, et qu'il est impossible de donner ici une image de toute sa production.

Commentaire

sur

Molière,

jetté en Novembre 1813,
Lisant Molière pour remplir
les intervalles des Rendez-vous.

«De la naissance de l'amour»

Quatrième livre imprimé de Stendhal, mais l'un des moins lus, De l'amour *est parfois considéré comme le foyer secret de son œuvre. C'est en tout cas son texte le plus idéaliste, le plus romantique, qui vaut à la fois comme théorie de l'amour et de l'art.*

Voici ce qui se passe dans l'âme :
1° L'admiration.
2° On se dit : Quel plaisir de lui donner des baisers, d'en recevoir, etc.!
3° L'espérance.
On étudie les perfections; c'est à ce moment qu'une femme devrait se rendre, pour le plus grand plaisir physique possible. Même chez les femmes les plus réservées, les yeux rougissent au moment de l'espérance, la passion est si forte, le plaisir si vif qu'il se trahit par des signes frappants.
4° L'amour est né.
Aimer, c'est avoir du plaisir à voir, toucher, sentir par tous les sens, et d'aussi près que possible un objet aimable et qui nous aime.
5° La première cristallisation commence.
On se plaît à orner de mille perfections une femme de l'amour de laquelle on est sûr; on se détaille tout son bonheur avec une complaisance infinie. Cela se réduit à s'exagérer une propriété superbe, qui vient de nous tomber du ciel, que l'on ne connaît pas, et de la possession de laquelle on est assuré.
Laissez travailler la tête d'un amant pendant vingt-quatre heures, et voici ce que vous trouverez :
Aux mines de sel de Salzbourg, on jette, dans les profondeurs abandonnées de la mine, un rameau d'arbre effeuillé par l'hiver; deux ou trois mois après on le retire couvert de cristallisations

brillantes : les plus petites branches, celle qui ne sont pas plus grosses que la patte d'une mésange, sont garnies d'une infinité de diamants, mobiles et éblouissants; on ne peut plus reconnaître le rameau primitif.

Ce que j'appelle cristallisation, c'est l'opération de l'esprit, qui tire de tout ce qui se présente la découverte que l'objet aimé a de nouvelles perfections.

Un voyageur parle de la fraîcheur des bois d'orangers à Gênes, sur le bord de la mer, durant les jours brûlants de l'été; quel plaisir de goûter cette fraîcheur avec elle!

Un de vos amis se casse le bras à la chasse; quelle douceur de recevoir les soins d'une femme qu'on aime! Etre toujours avec elle et la voir sans cesse vous aimant ferait presque bénir la douleur; et vous partez du bras cassé de votre ami, pour ne plus douter de l'angélique bonté de votre maîtresse. En un mot, il suffit de penser à une perfection pour la voir dans ce qu'on aime.

Ce phénomène, que je me permets d'appeler la *cristallisation*, vient de la nature qui nous commande d'avoir du plaisir et qui nous envoie le sang au cerveau est employée à suivre le daim qui fuit dans la forêt, et avec la chair duquel il doit réparer ses forces au plus vite, sous peine de tomber sous la hache de son ennemi.

A l'autre extrémité de la civilisation, je ne doute pas qu'une femme tendre n'arrive à ce point, de ne trouver le plaisir physique qu'auprès de l'homme qu'elle aime*. C'est le contraire du sauvage. Mais parmi les nations civilisées la femme a du loisir, et le sauvage est si près de ses affaires, qu'il est obligé de traiter sa femelle comme une bête de somme. Si les femelles de beaucoup d'animaux sont plus heureuses, c'est que la subsistance des mâles est plus assurée.

Mais quittons les forêts pour revenir à Paris. Un homme passionné voit toutes les perfections dans ce qu'il aime; cependant l'attention peut encore être distraite, car l'âme se rassasie de tout ce qui est uniforme, même du bonheur parfait**.

* Si cette particularité ne se présente pas chez l'homme, c'est qu'il n'a pas la pudeur à sacrifier pour un instant.
** Ce qui veut dire que la même nuance d'existence ne donne qu'un instant de bonheur parfait; mais la manière d'être d'un homme passionné change dix fois par jour.

Stendhal,
De l'amour, 1822

«Ce que c'est que le romanticisme»

Ecrit en France, Racine et Shakespeare *est, comme* De l'Amour *(1822) et la* Vie de Rossini *(1823), un pur produit du séjour à Milan. Une seconde version parut en 1825 (*Racine et Shakespeare *II), et acheva de mettre Stendhal aux avant-postes de la modernité littéraire.*

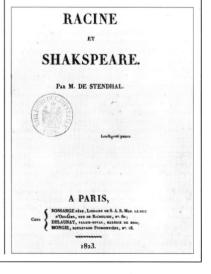

Le *romanticisme* est l'art de présenter aux peuples les œuvres littéraires qui, dans l'état actuel de leurs habitudes et de leurs croyances, sont susceptibles de leur donner le plus de plaisir possible.

Le *classicisme*, au contraire, leur présente la littérature qui donnait le plus grand plaisir à leurs arrière-grands-pères.

Sophocle et Euripide furent éminemment romantiques; ils donnèrent aux Grecs rassemblés au théâtre d'Athènes les tragédies qui, d'après les habitudes morales de ce peuple, sa religion, ses préjugés sur ce qui fait la dignité de l'homme, devaient lui procurer le plus grand plaisir possible.

Imiter aujourd'hui Sophocle et Euripide, et prétendre que ces imitations ne feront pas bâiller le Français du XIXe siècle, c'est du classicisme.

Je n'hésite pas à avancer que Racine a été romantique; il a donné aux marquis de la cour de Louis XIV une peinture des passions, tempérée par l'*extrême dignité* qui alors était de mode, et qui faisait qu'un duc de 1670, même dans les épanchements les plus tendres de l'amour paternel, ne manquait jamais d'appeler son fils *Monsieur*.

C'est pour cela que la Pylade d'*Andromaque* dit toujours à Oreste : *Seigneur*; et cependant quelle amitié que celle d'Oreste et de Pylade!

Cette dignité-là n'est nullement dans les Grecs, et c'est à cause de cette *dignité*, qui nous glace aujourd'hui, que Racine a été romantique.

Shakespeare fut romantique parce qu'il présenta aux Anglais de l'an 1590, d'abord les catastrophes sanglantes amenées par les guerres civiles, et pour reposer de ces tristes spectacles, une foule de peintures fines des mouvements du cœur, et des nuances de passions les plus délicates. Cent ans de guerres civiles et de troubles presque continuels, une

foule de trahisons, de supplices, de dévouements généreux, avaient préparé les sujets d'Elisabeth à ce genre de tragédie, qui ne produit presque rien de tout le *factice* de la vie des cours et de la civilisation des peuples tranquilles. Les Anglais de 1590, heureusement fort ignorants, aimèrent à contempler au théâtre l'image des malheurs que le caractère ferme de leur reine venait d'éloigner de la vie réelle. Ces mêmes détails naïfs, que nos vers alexandrins repousseraient avec dédain, et que l'on prise tant aujourd'hui dans *Ivanhoé* et dans *Rob-Roy*, eussent paru manquer de dignité aux yeux des fiers marquis de Louis XIV.

Ces détails eussent mortellement effrayé les poupées sentimentales et musquées qui, sous Louis XV, ne pouvaient voir une araignée sans s'évanouir. Voilà, je le sens bien, une phrase peu digne.

Il faut du courage pour être romantique, car il faut *hasarder*.

Le *classique* prudent, au contraire, ne s'avance jamais sans être soutenu, en cachette, par quelque vers d'Homère, ou par une remarque philosophique de Cicéron, dans son traité *De Senectute*.

Il me semble qu'il faut du courage à l'écrivain presque autant qu'au guerrier; l'un ne doit pas plus songer aux journalistes que l'autre à l'hôpital.

Lord Byron, auteur de quelques héroïdes sublimes, mais toujours les mêmes, et de beaucoup de tragédies mortellement ennuyeuses, n'est point du tout le chef des romantiques.

S'il se trouvait un homme que les traducteurs à la toise se disputassent également à Madrid, à Stuttgart, à Paris et à Vienne, l'on pourrait avancer que cet homme a deviné les tendances morales de son époque[1].

Parmi nous, le populaire Pigault-

Lebrun est beaucoup plus romantique que le sensible auteur de *Trilby*.

1. Ce succès ne peut être une affaire de parti, ou d'enthousiasme personnel. Il y a toujours de l'intérêt d'argent au fond de tous les partis. Ici, je ne puis découvrir que l'intérêt du plaisir. L'homme par lui-même est peu digne d'enthousiasme : sa coopération probable à l'infâme Beacon, anecdote ridicule du verre dans lequel George IV avait bu.

Stendhal,
Racine et Shakespeare, 1823

«Le bonheur de tout dire»

*On comprend la perplexité des premiers lecteurs d'*Armance*, qu'aucune préface n'éclairait sur le sens de l'étrange comportement du héros. Pourquoi en effet ne pas attribuer au mal du siècle et aux impasses historiques de la société moderne le mal de vivre qui conduit Octave au suicide? Car le romancier reste muet, jusqu'à la fin, sur le «fatal secret» de son jeune aristocrate républicain, exclu de Polytechnique. L'impuissance fonctionne donc comme métaphore de tous les blocages.*

Enfin, il fallut se séparer; à peine embarqué, Octave paya cher ces moments d'illusion. Pendant quelques jours il ne se trouva plus le courage de mourir. Je serais le dernier des hommes, se disait-il, et un lâche à mes propres yeux si, d'après ma condamnation prononcée par le sage Dolier, je ne rends pas bientôt Armance à la liberté.

Je perds peu de chose à quitter la vie, ajoutait-il en soupirant; si Armance joue l'amour avec tant de grâce, ce n'est qu'une réminiscence, elle se rappelle ce qu'elle sentait pour moi autrefois. Je n'aurais pas tardé à l'ennuyer.

Elle m'estime probablement, mais n'a plus pour moi de sentiment passionné, et ma mort l'affligera sans la mettre au désespoir. Cette cruelle certitude finit par faire oublier à Octave la divine beauté d'Armance enivrée de bonheur, et se *pâmant* dans ses bras la veille de son départ. Il reprit du courage, et dès le troisième jour de navigation, avec le courage, la tranquillité reparut. Le vaisseau se trouvait par le travers de l'île de Corse. Le souvenir d'un grand homme mort malheureux apparut à Octave et vint lui rendre de la fermeté. Comme il pensait à lui sans cesse, il l'eut presque pour témoin de sa conduite. Il feignit une maladie mortelle. Heureusement le seul officier de santé qu'on eût à bord était un vieux charpentier qui prétendait se connaître à la fièvre, et il fut le premier trompé par le délire et l'état affreux d'Octave. Grâce à quelques moments d'affectation, Octave vit au bout de huit jours qu'on désespérait de son retour à la vie. Il fit appeler le capitaine dans ce qu'on appelait un de ses moments lucides, et dicta son testament, que signèrent comme témoins les neuf personnes composant l'équipage.

Octave avait eu le soin de déposer un testament semblable chez un notaire de Marseille. Il laissait tout ce dont il pouvait disposer à sa femme, sous la condition bizarre qu'elle se remarierait dans les vingt mois qui suivraient son décès. Si madame Octave de Malivert ne jugeait pas à propos de remplir cette condition, il priait sa mère d'accepter sa fortune.

Après avoir signé son testament en présence de tout l'équipage, Octave tomba dans une grand faiblesse et demanda les prières des agonisants, que quelques matelots italiens récitèrent auprès de lui. Il écrivit à Armance, et mit dans sa lettre celle qu'il avait eu le courage de lui écrire dans un café de Paris, et la lettre à son amie Méry de

Tersan qu'il avait surprise dans la caisse de l'oranger. Jamais Octave n'avait été sous le charme de l'amour le plus tendre comme dans ce moment suprême. Excepté le genre de sa mort, il s'accorda le bonheur de tout dire à son Armance. Octave continua à languir pendant plus d'une semaine, chaque jour il se donnait le nouveau plaisir d'écrire à son amie. Il confia ses lettres à plusieurs matelots, qui lui promirent de les remettre eux-mêmes à son notaire à Marseille.

Un mousse du haut de la vigie cria : *Terre*! C'était le sol de la Grèce et les montagnes de la Morée que l'on apercevait à l'horizon. Un vent frais portait le vaisseau avec rapidité. Le nom de la Grèce réveilla le courage d'Octave : Je te salue, se dit-il, ô terre des héros! Et à minuit, le 3 mars, comme la lune se levait derrière le mont Kalos, un mélange d'opium et de digitale préparé par lui délivra doucement Octave de cette vie qui avait été pour lui si agitée. Au point du jour, on le trouva sans mouvement sur le pont, couché sur quelques cordages. Le sourire était sur ses lèvres, et sa rare beauté frappa jusqu'aux matelots chargés de l'ensevelir. Le genre de sa mort ne fut soupçonné en France que de la seule Armance. Peu après, le marquis de Malivert étant mort, Armance et madame de Malivert prirent le voile dans le même couvent.

Stendhal
Armance, 1827

Le promeneur impénitent

Rome, Naples et Florence en 1817 *(son premier livre signé Stendhal dont une seconde version refondue paraît en 1827),* Promenades dans Rome *(1829),* Mémoires d'un touriste *(1838, son premier livre publié depuis* Le Rouge et le Noir*) : ces titres et ces circonstances disent*

F rontispice des *Promenades dans Rome* : la colonne Trajane

assez l'importance des voyages dans la vie et l'œuvre de Stendhal. Promenades dans Rome*, qui a accompagné des générations* *de touristes, est bien plus qu'un guide de Rome : c'est le plus commode voyage dans l'esprit de Stendhal.*

5 décembre 1827

La vérité triste et crue sur beaucoup de choses ne se rencontre à Paris que dans la conversation de quelque vieil avoué d'humeur acariâtre. Tout le reste de la société se plaît à jeter un voile sur le vilain côté de la vie. L'excès du déguisement devient quelquefois ridicule parmi les gens qui ont eu le malheur de naître très nobles et très riches ; mais en général cette manière de représenter la vie fait le charme de la société française.

Le Romain ne déguise, par aucun compliment, l'*âpreté du réel de la vie*. La société dans laquelle il vit est semée de trop de dangers mortels pour qu'il s'expose au risque de faire des fautes de raisonnements, ou à celui de donner de faux avis. Son imagination devient folle à chaque découverte d'un malheur inconnu. Elle veut tout voir d'un premier coup d'œil, et ensuite tâcher de s'y accoutumer.

Ce *respect pour la vérité*, et la *permanence des désirs*, sont à notre avis les deux grands traits qui séparent le plus le Romain du Parisien. Paul disait fort bien hier : cette sincérité, pour nous inusitée, de la société romaine, lui donne un premier aspect de méchanceté ; elle est pourtant la source de la *bonhomie*. Votre ami ne vous reçoit pas chaque jour avec une nuance différente. Cela troublerait la rêverie et le *dolce far niente*, qui sous ce climat sont le premier des plaisirs, et le terroir fertile dans lequel germe la volupté.

Les peuples sont inintelligibles les uns pour les autres. Le mot de *bonhomie italienne* vous a fait hausser les épaules ; cette bonhomie tue l'esprit.

Quand il s'y appliquerait

curieusement toute sa vie, un Romain, homme d'esprit, un *Gherardo de' Rossi*, un N*** ne parviendrait jamais à se figurer l'étendue de la *légèreté parisienne*. A chaque moment ne pouvant arriver à la vérité, il supposerait de l'hypocrisie dans l'objet de ses observations.

Stendhal,
Promenades dans Rome, 1829

20 novembre 1828

Cette méchanceté qui repousse par un sentiment pénible les âmes bonnes et tendres telles que Mme Rolland, Mlle Lespinasse, etc., pour lesquelles seules on écrit, recevra une nouvelle preuve de l'explication bien simple que voici.

L'esprit français ne peut exister sans l'habitude de l'attention aux *impressions des autres* ; le sentiment des beaux-arts ne peut se former sans l'habitude d'une rêverie un peu mélancolique. L'arrivée d'un étranger qui vient la troubler est toujours un événement désagréable pour un caractère mélancolique et rêveur. Sans qu'ils soient égoïstes, ni même *égotistes*, les grands événements pour ces gens-là, sont les impressions, parce que des moindres circonstances de ces impressions, ils tirent peu à peu une nuance de bonheur ou de malheur. Un être absorbé dans cet examen, ne songe pas à revêtir sa pensée d'un tour *piquant*, il ne pense nullement *aux autres*.

Or le sentiment des beaux-arts ne peut naître que dans les âmes dont nous venons d'esquisser la rêverie.

Même dans les transports les plus vifs de ses passions, Voltaire songeait à l'effet produit par sa manière de présenter sa pensée. Un chasseur des environs de Ferney lui avait donné un jeune aigle. Voltaire eut la fantaisie de le faire nourrir, et s'y attacha beaucoup ; mais l'oiseau, soigné par des mains mercenaires, dépérissait de jour en jour. Il devint d'une effroyable maigreur. Un matin, Voltaire allait visiter le pauvre aigle, une servante se présente à lui : «Hélas! Monsieur, il est mort cette nuit : il était si maigre, si maigre! - Comment, coquine, dit Voltaire au désespoir, il est mort parce qu'il était maigre! tu veux donc que je meure aussi moi qui suis si maigre?»

Stendhal,
Promenades dans Rome, 1829

«Je n'ai point l'honneur d'appartenir à votre classe»

Comme on voit, Stendhal laisse au lecteur, s'il le veut, le soin d'imaginer tout ce qu'un Julien peut avoir sur le cœur. Reste à savoir aussi ce qu'on peut penser, en bon beyliste, de ce grand réquisitoire contre la société, qui n'empêche pas de remarquer l'assiduité judiciaire des femmes.

Cette idée effaça toutes les autres. Bientôt après, Julien fut rappelé à lui-même par les marques d'assentiment du public. L'avocat venait de terminer sa plaidoirie. Julien se souvint qu'il était convenable de lui serrer la main. Le temps avait passé rapidement.

On apporta des rafraîchissements à l'avocat et à l'accusé. Ce fut alors seulement que Julien fut frappé d'une circonstance : aucune femme n'avait quitté l'audience pour aller dîner.

– Ma foi, je meurs de faim, dit l'avocat, et vous,

– Moi de même, répondit Julien.

– Voyez, voilà madame la préfère qui reçoit aussi son dîner, lui dit l'avocat en lui indiquant le petit balcon. Bon courage, tout va bien. La séance recommença.

Comme le président faisait son résumé, minuit sonna. Le président fut obligé de s'interrompre; au milieu du silence de l'anxiété universelle, le retentissement de la cloche de l'horloge remplissait la salle.

Voilà le dernier de mes jours qui commence, pensa Julien. Bientôt il se sentit enflammé par l'idée du devoir. Il avait dominé jusque-là son attendrissement et gardé sa résolution de ne point parler; mais quand le président des assises lui demanda s'il avait quelque chose à ajouter, il se leva. Il voyait devant lui les yeux de madame Derville qui, aux lumières, lui semblèrent bien brillants. Pleurait-elle, par hasard? pensa-t-il.

«Messieurs les jurés,

«L'horreur du mépris, que je croyais pouvoir braver au moment de la mort, me fait prendre la parole. Messieurs, je n'ai point l'honneur d'appartenir à votre classe, vous voyez en moi un paysan qui s'est révolté contre la bassesse de sa fortune.

«Je ne vous demande aucune grâce, continua Julien en affermissant sa voix. Je ne me fais point illusion, la mort m'attend : elle sera juste. J'ai pu attenter aux jours de la femme la plus digne de tous les respects, de tous les hommages. Madame de Rênal avait été pour moi comme une mère. Mon crime est atroce, et il fut prémédité. J'ai donc mérité la mort, messieurs les jurés. Mais quand je serais moins coupable, je vois des hommes qui, sans s'arrêter à ce que ma jeunesse peut mériter de pitié, voudront punir en moi et décourager à jamais cette classe de jeunes gens qui, nés dans une classe inférieure et en quelque sorte opprimés par la pauvreté, ont le bonheur de se procurer une bonne éducation, et l'audace de se mêler à ce que l'orgueil des gens riches appelle la société.

«Voilà mon crime, messieurs, et il sera

puni avec d'autant plus de sévérité, que, dans le fait, je ne suis point jugé par mes pairs. Je ne vois point sur les bancs des jurés quelque paysan enrichi, mais uniquement des bourgeois indignés...»

Pendant vingt minutes, Julien parla sur ce ton; il dit tout ce qu'il avait sur le cœur; l'avocat général, qui aspirait aux faveurs de l'aristocratie, bondissait sur son siège; mais malgré le tour un peu abstrait que Julien avait donné à la discussion, toutes les femmes fondaient en larmes. Madame Derville elle-même avait son mouchoir sur ses yeux. Avant de finir, Julien revint à la préméditation, à son repentir, au respect, à l'adoration filiale et sans bornes que, dans les temps plus heureux, il avait pour madame de Rênal... Madame Derville jeta un cri et s'évanouit.

Une heure sonnait comme les jurés se retiraient dans leur chambre. Aucune femme n'avait abandonné sa place; plusieurs hommes avaient les larmes aux yeux. Les conversations furent d'abord très vives; mais peu à peu, la décision du jury se faisant attendre, la fatigue générale commença à jeter du calme dans l'assemblée. Ce moment était solennel; les lumières jetaient moins d'éclat. Julien, très fatigué, entendait discuter auprès de lui la question de savoir si ce retard était de bon ou de mauvais augure. Il vit avec plaisir que tous les vœux étaient pour lui : le jury ne revenait point, et cependant aucune femme ne quittait la salle.

Stendhal,
Le Rouge et le Noir, 1830

La dame à la fenêtre

Des trois grands romans, s'il fallait n'en emporter qu'un sur une île, lequel prendre? Bien des amoureux de Stendhal finiraient sans doute par choisir l'autre roman «français», le roman inachevé, Lucien Leuwen, *auquel Stendhal travailla «de rage-pied», en Italie, dix-neuf mois durant (1834-1835), pour tenter de donner plus de moelleux et de suavité au style jugé trop sec du* Rouge et le Noir.

«Ce ne sont plus ici les jeunes officiers pleins de bravoure, d'étourderie et de gaieté, que l'on voit au Gymnase; ce sont de pauvres ennuyés qui ne seraient pas fâchés de s'égayer à mes dépens; ils seront mal pour moi, jusqu'à ce que j'aie eu quelque duel, et il vaut mieux l'engager tout de suite, pour arriver plus tôt à la paix. Mais ce gros lieutenant-colonel pourra-t-il être mon témoin? J'en doute, son grade s'y oppose; il doit l'exemple de l'ordre... Où trouver un témoin?»

Lucien leva les yeux et vit une grande maison, moins mesquine que celles devant lesquelles le régiment avait passé jusque-là; au milieu d'un grand mur blanc, il y avait une persienne peinte en vert perroquet. «Quel choix de couleurs voyantes ont ces marauds de provinciaux!»

Lucien se complaisait dans cette idée peu polie, lorsqu'il vit la persienne vert perroquet s'entrouvrir un peu; c'était une jeune femme blonde qui avait des cheveux magnifiques et l'air dédaigneux; elle venait voir défiler le régiment.

S tendhal a toujours attribué ce tableau à Léonard de Vinci, et non à Luini, son véritable auteur. Il comparait le visage de Métilde à cette belle Hérodiade.

Toutes les idées tristes de Lucien s'envolèrent à l'aspect de cette jolie figure; son âme en fut ranimée. Les murs écorchés et sales des maisons de Nancy, la boue noire, l'esprit envieux et jaloux de ses camarades, les duels nécessaires, le méchant pavé sur lequel glissait la rosse qu'on lui avait donnée, peut-être exprès, tout disparut. Un embarras sous une voûte, au bout de la rue, avait forcé le régiment à s'arrêter. La jeune femme ferma sa croisée et regarda, à demi cachée par le rideau de mousseline brodée de sa fenêtre. Elle pouvait avoir vingt-quatre ou vingt-cinq ans. Lucien trouva dans ses yeux une expression singulière; était-ce de l'ironie, de la haine, ou tout simplement de la jeunesse et une certaine disposition à s'amuser de tout?

Le second escadron, dont Lucien faisait partie, se remit en mouvement tout à coup; Lucien, les yeux fixés sur la fenêtre vert perroquet, donna un coup d'éperon à son cheval, qui glissa, tomba et le jeta par terre.

Se relever, appliquer un grand coup du fourreau de son sabre à la rosse, sauter en selle fut, à la vérité, l'affaire d'un instant; mais l'éclat de rire fut général et bruyant. Lucien remarqua que la dame aux cheveux d'un blond cendré souriait encore, que déjà il était remonté.

Les officiers du régiment riaient, mais *exprès*, comme un membre du centre, à la Chambre des députés quand on fait aux ministres quelque reproches fondé.

«Quoique ça, c'est un bon lapin, dit un vieux maréchal des logis à moustaches blanches.

– Jamais cette rosse n'a été mieux montée», dit un lancier.

Lucien était rouge et affectait une mine simple.

A peine le régiment fut-il établi à la caserne et le service réglé, que Lucien courut à la poste aux chevaux, au grand trot de sa rosse.

«Monsieur, dit-il au maître de poste, je suis officier comme vous voyez, et je n'ai pas de chevaux. Cette rosse, qu'on m'a prêtée au régiment, peut-être pour se moquer de moi, m'a déjà jeté par terre, comme vous voyez encore; et il regarda en rougissant des vestiges de boue qui, ayant séché, blanchissaient son uniforme au-dessus du bras gauche. En un mot, monsieur, avez-vous un cheval passable à vendre dans la ville? Il me le faut à l'instant.

– Parbleu, monsieur, voilà une belle occasion pour vous *mettre dedans*. C'est pourtant ce que je ne ferai pas», dit M. Bouchard, le maître de poste.

C'était un gros homme à l'air important, à la mine ironique et aux yeux perçants; en faisant sa phrase, il regardait ce jeune homme élégant, pour juger de combien de louis il pourrait surcharger le prix du cheval à vendre.

«Vous êtes officier de cavalerie, monsieur, et sans doute vous connaissez les chevaux.»

Lucien ne répliquant pas par quelque *blague*, le maître de poste crut pouvoir ajouter :

«Je me permettrai de vous demander : Avez-vous fait la guerre?»

A cette question qui pouvait être une plaisanterie, la physionomie ouverte de Lucien changea instantanément.

«Il ne s'agit point de savoir si j'ai fait la guerre, répondit-il d'un ton fort sec, mais si vous, maître de poste, avez un cheval à vendre.»

Stendhal,
Lucien Leuwen

Idées vraies sur les brigands

Chroniques italiennes *: titre consacré, mais qui n'est pas de Stendhal. Celui-ci avait publié séparément, en revue, certains de ces récits tirés de manuscrits italiens, avant d'en rassembler trois en volume, sous le titre de l'*Abbesse de Castro [1839]. Cette nouvelle avait d'abord paru dans la* Revue des Deux Mondes *[1839].*

Le mélodrame nous a montré si souvent les brigands italiens du XVIe siècle, et tant de gens en ont parlé sans les connaître, que nous en avons maintenant les idées les plus fausses. On peut dire en général que ces brigands furent *l'opposition* contre les gouvernements atroces qui, en Italie, succédèrent aux républiques du Moyen Age. Le nouveau tyran fut d'ordinaire le citoyen le plus riche de la défunte république, et pour séduire le bas peuple il ornait la ville d'églises magnifiques et de beaux tableaux. Tels furent les Polentini de Ravenne, les Mnafredi de Faenza, les Riario d'Imola, les Cane de Vérone, les Bentivoglio de Bologne, les Visconti de Milan, et, enfin, les moins belliqueux et les plus hypocrites de tous, les Médicis de Florence. Parmi les historiens de ces petits Etats, aucun n'a osé raconter les empoisonnements et assassinats sans nombre ordonnés par la peur qui tourmentait ces petits tyrans; ces graves historiens étaient à leur solde.

Considérez que chacun de ces tyrans connaissait personnellement chacun des républicains dont il savait être exécré (le grand-duc de Toscane, Côme, par exemple, connaissait Strozzi), que plusieurs de ces tyrans périrent par l'assassinat, et vous comprendrez les haines profondes, les méfiances éternelles qui donnèrent tant d'esprit et de courage aux Italiens du XVIe siècle, l'activité d'un homme et son mérite réel ne pouvaient se montrer en France, et conquérir l'admiration, que par la bravoure sur le champ de bataille ou dans les duels; et, comme les femmes aimaient la bravoure et surtout l'audace, elles devinrent les juges suprêmes du mérite d'un homme. Alors naquit *l'esprit de galanterie*, qui prépara l'anéantissement successif de toutes les passions et même de l'amour, au profit de ce tyran cruel auquel nous obéissons tous : la vanité. Les rois protégèrent la vanité et avec grande raison; de là l'empire des rubans.

En Italie, un homme se distinguait par *tous les genres* de mérite, par les grands coups d'épée comme par les découvertes dans les anciens manuscrits : voyez Pétrarque, l'idole de son temps; et une femme du XVIe siècle aimait un homme savant en grec autant et plus qu'elle n'eût aimé un homme célèbre par la bravoure militaire. Alors on vit des passions et non pas l'habitude de la galanterie. Voilà la grande différence entre l'Italie et la France, voilà pourquoi l'Italie a vu naître les Raphaël, les Giorgion, les Titien, les Corrège, tandis que la France produisait tous ces braves capitaines du XVIe siècle, si inconnus aujourd'hui et dont chacun avait tué un si grand nombre d'ennemis.
Je demande pardon pour ces rudes vérités. Quoi qu'il en soit, les vengeances atroces et *nécessaires* des petits tyrans

CHAPITRE I

> e mélodrame nous a montré si souvent les brigands italiens du seizième siècle, et tant de gens en ont parlé sans les connaître, que nous en avons maintenant les idées les plus fausses. On peut dire en général que ces brigands furent *l'opposition* contre les gouvernements atroces qui, en Italie, succédèrent aux républiques du moyen âge. Le nouveau tyran fut d'ordinaire le citoyen le plus riche de la défunte république, et, pour séduire le bas peuple, il ornait la ville d'églises magnifiques et de

italiens du Moyen Age concilièrent aux brigands le cœur des peuples. On haïssait les brigands quand ils volaient des chevaux, du blé, de l'argent, en un mot, tout ce qui leur était nécessaire pour vivre; mais, au fond, le cœur des peuples était pour eux; et les filles du village préféraient à tous les autres le jeune garçon qui, une fois dans la vie, avait été forcé d'*andar alla macchia*, c'est-à-dire de fuir dans les bois et de prendre refuge auprès des brigands à la suite de quelque action trop imprudente.

De nos jours encore tout le monde assurément redoute la rencontre des brigands; mais subissent-ils des châtiments, chacun les plaint. C'est que ce peuple si fin, si moqueur, qui rit que tous les écrits publiés sous la censure de ses maîtres, fait sa lecture habituelle de petits poèmes qui racontent avec chaleur la vie des brigands les plus renommés.

Stendhal,
Chroniques italiennes,
(*L'Abbesse de Castro*), 1839

Les soldats riaient et chantaient

L'euphorie de la mémoire et l'exaltation napoléonienne, sans oublier la logique interne du roman, centré sur les conséquences de Waterloo, conduisent Stendhal à dresser, en ouverture de La Chartreuse, *le tableau magnifié de l'entrée française en Lombardie. Le romancier rivalise ici avec ses musiciens préférés.*

Le même jour, on affichait l'avis d'une contribution de guerre de six millions, frappée pour les besoins de l'armée française, laquelle, venant de gagner six batailles et de conquérir vingt provinces, manquait seulement de souliers, de pantalons, d'habits et de chapeaux. La masse de bonheur et de plaisir qui fit irruption en Lombardie avec ces Français si pauvres fut telle que les prêtres seuls et quelques nobles s'aperçurent de la lourdeur de cette contribution de six millions, qui, bientôt, fut suivie de beaucoup d'autres. Ces soldats français riaient et chantaient toute la journée; ils avaient moins de vingt-cinq ans, et leur général en chef, qui en avait vingt-sept, passait pour l'homme le plus âgé de son armée. Cette gaieté, cette jeunesse, cette insouciance, répondaient d'une façon plaisante aux prédications furibondes des moines qui, depuis six mois, annonçaient du haut de la chaire sacrée que les Français étaient des monstres, obligés, sous peine de mort, à tout brûler et à couper la tête à tout le monde. A cet effet, chaque régiment marchait avec la guillotine en tête.

Dans les campagnes l'on voyait sur la porte des chaumières le soldat français occupé à bercer le petit enfant de la maîtresse du logis, et presque chaque soir quelque tambour, jouant du violon, improvisait un bal. Les contredanses se trouvant beaucoup trop savantes et compliquées pour que les soldats, qui d'ailleurs ne les savaient guère, pussent les apprendre aux femmes du pays, c'étaient celles-ci qui montraient aux jeunes Français *la Monférine, la Sauteuse* et autres danses italiennes.

Les officiers avaient été logés, autant que possible, chez les gens riches; ils avaient bon besoin de se refaire. Par exemple, un lieutenant nommé Robert eut un billet de logement pour le palais de la marquise del Dongo. Cet officier, jeune réquisitionnaire assez leste, possédait pour tout bien, en entrant dans ce palais, un écu de six francs qu'il venait de recevoir à Plaisance. Après le passage du pont de Lodi, il prit à un bel officier autrichien tué par un boulet un magnifique pantalon de nankin tout neuf, et jamais vêtement ne vint plus à propos. Ses épaulettes d'officier étaient en laine, et le drap de son habit était cousu à la doublure des manches pour que les morceaux tinssent ensemble; mais il y avait une circonstance plus triste : les semelles de ses souliers étaient en morceaux de chapeau également pris sur le champ de bataille, au delà du pont de Lodi. Ces semelles improvisées tenaient au-dessus des souliers par des ficelles fort visibles, de façon que lorsque le majordome de la maison se présenta dans la chambre du lieutenant Robert pour l'inviter à dîner avec madame la marquise, celui-ci fut plongé dans un mortel embarras. Son voltigeur et lui passèrent les deux heures qui les séparaient de ce fatal dîner à tâcher de recoudre un peu l'habit et à teindre en noir avec de l'encre les malheureuses ficelles des souliers. Enfin le moment terrible arriva. «De la vie je ne fus plus mal à mon aise, me disait le lieutenant Robert; ces dames pensaient que j'allais leur faire peur, et moi j'étais plus tremblant qu'elles. Je regardais mes souliers et ne savais comment marcher avec grâce. La marquise del Dongo, ajoutait-il, était alors dans tout l'éclat de sa beauté : vous l'avez connue avec ses yeux si beaux et d'une douceur angélique, et ses jolis cheveux d'un blond foncé qui dessinaient si bien l'ovale de cette figure charmante. J'avais dans ma chambre une Hérodiade de Léonard de Vinci, qui semblait son portrait. Dieu voulut que je fusse tellement saisi de cette beauté surnaturelle que j'en oubliai mon costume. Depuis deux ans je ne voyais que des choses laides et misérables dans les montagnes du pays de Gênes : j'osai lui adresser quelques mots sur mon ravissement.

Stendhal,
La Chartreuse de Parme, 1839

Plan pour un roman infaisable

La Chartreuse paraît le 6 avril 1839. Le 13, Stendhal a l'idée d'un roman tout différent, qu'il remettra sans cesse sur le métier sans pouvoir le maîtriser, faute peut-être d'un canevas sur quoi s'appuyer. Lamiel ne sera publié qu'en 1889, et surtout 1929. On trouvera ici le début d'un plan rédigé en mai 1839.

Le dégoût profond pour la pusillanimité fait le caractère d'Amiel.

Amiel, grande, bien faite, un peu maigre, avec de belles couleurs, fort jolie, bien vêtue comme une riche bourgeoise de campagne, marchait trop vite dans les rues, enjambait les ruisseaux, sautait sur les trottoirs. Le secret de tant d'inconvenances, c'est qu'elle songeait trop au lieu où elle allait et où elle avait envie d'arriver, et pas assez aux gens qui pouvaient la regarder. Elle portait autant de passion dans l'achat d'une commode

de noyer pour mettre ses robes à couvert de la poussière dans sa petite chambre, que dans l'affaire qui aurait pu avoir une influence sur sa vie entière, autant de passion et peut-être davantage. Car c'était toujours par fantaisie, par caprice, et jamais par raison qu'elle faisait attention aux choses et qu'elle y attachait du prix.

Sa vie désordonnée se passait à marcher rapidement à un but qu'elle brûlait d'atteindre ou à se délecter dans une orgie. Alors même elle employait son imagination brûlante à pousser l'orgie à des excès incroyables et toujours dangereux, car, pour elle, là où il n'y avait pas de danger, il n'y avait pas de plaisir, et c'est ce qui la préserva dans le cours de sa vie non pas des sociétés criminelles, mais des sociétés abjectes : elle effrayait les âmes privées de courage.

Du reste, sa hardiesse dans l'orgie avait deux caractères différents : la société avait-elle peu d'argent? Il fallait faire avec ce peu d'argent tout ce qui était humainement possible, tout ce qui serait drôle à raconter huit jours après, et vous remarquerez que les petites escroqueries commises à droite et à gauche sur les benêts, que leur mauvaise étoile jetait dans le voisinage de l'orgie, n'en gâtaient pas le récit; au contraire elles l'embellissaient. La société avait-elle beaucoup d'argent? C'était alors qu'il fallait faire des choses vraiment mémorables et dignes dans les âges futurs de figurer dans l'histoire de quelque nouveau Mandrin.

Comme on voit, s'amuser était chose étrangère au caractère d'Amiel; elle était trop passionnée pour cela; passer doucement et agréablement le temps était chose presque impossible pour ce caractère, elle ne pouvait s'amuser dans ce sens vulgaire du mot que lorsqu'elle était malade. Par une suite naturelle, bizarre, de l'admiration que, à quinze ans, elle avait eue pour M. Mandrin, il lui semblait petit et ridicule d'amuser les gens par son esprit. Elle eût pu de cette façon de briller autant que bien d'autres, mais ce genre de succès lui semblait fait uniquement pour des êtres faibles; suivant elle, une âme de quelque valeur devait agir et non parler.

Si elle se servait de son esprit, c'était assez rarement et uniquement pour se moquer, et même avec quelque dureté, de ce qui était établi dans le monde comme vertu; elle se souvenait de tous les sermons qui autrefois l'avaient ennuyée chez les [Breville *rayé*] Hautemare.

– Un paysan normand est vertueux, disait-elle, parce qu'il assiste à complies et non pas parce qu'il ne vole point les pommes du voisin.

Les père et mère d'Amiel sont morts depuis longtemps; son oncle [Hautemare, *ajout*] le bedeau, décide qu'elle ira au pays pour cette succession, mais comme depuis la répression des Chouans et la fusillade de Charette, il a une peur horrible du gouvernement, il fait prendre un passeport bien en règle par L'Amiel.

L'Amiel a 2, 3, 4 amants successifs. Revue des principaux caractères de jeunes gens de l'époque. Intérêt comme dans les contes. Chaque amour dure trois mois, puis regret pendant six mois, puis un autre amour.

Horrible injustice de l'oncle [Hautemare *ajout*] envers le pauvre jeune homme qui tient une petite pension dans le village pour le punir d'avoir dit que ce grand corps nu plus grand que nature et peint en couleur de chair que l'on voit cloué à l'entrée de tous les villages de Normandie me fait horreur.

Sansfin est chirurgien à Langanerie,

G érard Philipe interprète le rôle de Fabrice del Dongo dans *La Chartreuse de Parme*, de Christian-Jaque

esprit très vif mais sans nulle profondeur, il ne devine rien par imagination, mais sent avec finesse, analyse tout ce qui existe et tout ce qu'il éprouve ainsi qu'un homme couché dans un mauvais lit d'auberge en sent tous les noyaux de pêche.

1° La haine de Sansfin fait souffrir sa vanité.

2° La vanité fait souffrir la haine.

Le but de Sansfin est de lier L'Amiel avec le duc, être aussi faible qu'il est aimable, et plus tard de porter celui-ci à épouser L'Amiel, au moins de la main gauche.

Stendhal,
Plan de *Lamiel*
(entre le 9 et le 16 mai 1839?)

Petit memento stendhalien

Vies de peintres et de musiciens, mémoires sur Napoléon, récits de voyages en forme de journaux, pamphlets contre les classiques et les industriels, traité sur l'amour, romans, nouvelles, articles, autobiographies, journal intime, pièces de théâtre (avortées) : Stendhal le dilettante, le chasseur de bonheur, Stendhal qui fait des femmes la seule affaire, dit-il, de sa vie, laisse une œuvre considérable, dont une bonne partie, inachevée, ne sera publiée qu'après sa mort.

M. B. A. A

H. B.

L̶o̶u̶i̶s̶-Alexandre-César BOMBET.

M. de Stendhal,

«L'Abbesse de Castro»(1839) / «Chroniques italiennes»

Parue d'abord seule en revue, cette «chronique italienne» donne son titre au volume qui comprend trois autres récits adaptés de manuscrits italiens découverts par Stendhal à Rome : Vittoria Accoramboni, Les Cenci, La Duchesse de Palliano. *Stendhal n'a jamais publié de volume sous le titre de* Chroniques italiennes, *maintenant adopté par tous les éditeurs à la suite de Romain Colomb. Il a aussi écrit plusieurs nouvelles qui ne sont pas des chroniques italiennes.*

«Armance» (1827)

Personnages principaux : Armance de Zohiloff, orpheline, recueillie par une parente/Octave de Malivert vingt ans, cousin d'Armance, républicain, exclu de Polytechnique, devenu riche à la suite d'une loi d'indemnisation des émigrés.

Octave, dont la conduite étrange frise parfois la «folie», tombe amoureux d'Armance, malgré son serment de ne jamais aimer. Croyant mourir à la suite d'un duel, il lui avoua sa passion, tandis qu'Armance se jure de ne jamais s'unir à son trop riche cousin. Mais des parents envieux compromettent et dénigrent la jeune fille. Octave l'épouse pourtant et se suicide en lui laissant une lettre d'explication. Armance et Mme de Malivert se retirent dans un couvent. Au lecteur de deviner l'impuissance d'Octave.

«La Chartreuse de Parme» (1839)

Principaux personnages : Fabrice del Dongo, né en 1798, au château de Grianta, en Lombardie/La comtesse Pietranera, puis duchesse de Sanseverina, sa tante, qui l'aime/Le comte Mosca, premier ministre du prince de Parme,

MAISON DE LA FORNARINA.

IDÉES ITALIENNES

SUR

QUELQUES TABLEAUX CÉLÈBRES

PAR

A. CONSTANTIN

FLORENCE

AU

CABINET SCIENTIFIQUE-LITTÉRAIRE
DE J. P. VIEUSSEUX

1840

amoureux fou de la Sanseverina/Clélia Conti/Le prince de Parme/Le fiscal Rassi, rival de Mosca/Ferrante Palla, poète et brigand, etc., etc.

La Sanseverina et Mosca veulent faire de Fabrice, revenu de Waterloo, un archevêque. Lourdement condamné pour la mort d'un jaloux, il découvre la passion avec la fille du gouverneur de la prison, Clélia. Il s'évade, mais Clélia, pour accomplir un vœu, doit se marier. La Sanseverina ayant fait assassiner le prince de Parme et s'étant promise à son successeur, Fabrice est acquitté et mène une brillante carrière ecclésiastique. Clélia tourne son vœu de ne jamais le revoir en ne le rencontrant que la nuit. Mais elle ne survit pas à la mort de leur enfant, et Fabrice va mourir dans une chartreuse.

«De l'amour» (1822)

Né de la passion malheureuse pour Métilde Dembowski, De l'Amour, *divisé en deux Livres, est une confession maquillée en traité théorique de l'amour (en fait de l'amour-passion). En soulignant la fraternité de l'amour et de l'esthétique, il donne une clé essentielle de l'œuvre stendhalienne.*

«D'un nouveau complot contre les industriels» (1825)

Dans ce nouveau pamphlet, Stendhal s'en prend à ceux qui, dans le camp libéral (le sien donc), font des industriels les sauveurs du genre humain.

«Histoire de la peinture en Italie» (1817)

*Ouvrage encore largement plagié, attribué à M.B.A.A., mais où s'expriment quelques-uns des thèmes essentiels de l'univers stendhalien, dans la fusion de l'esthétique, de l'histoire et de la politique sous le signe de l'italianité. L'*Histoire culmine sur Michel-Ange et Raphaël, et s'arrête avant le Corrège.

«Idées italiennes sur quelques tableaux célèbres» (1840)

Ouvrage écrit en collaboration avec son ami Abraham Constantin, peintre genevois établi à Rome, mais non signé par Stendhal.

«Journal» (1801-, publié en 1888)

Stendhal aurait commencé à tenir son Journal à Paris, en 1800. Mais le seul Journal qui nous est parvenu commence le 18 avril 1801. Il ne devient vraiment conséquent qu'à partir de 1804, et s'étiole lors du séjour à Milan, quand Stendhal devient un véritable écrivain.

«Lettres sur Haydn, Mozart et Métastase» (1815)

Le premier ouvrage publié d'Henri Beyle, signé Louis-Alexandre-César Bombet, est un indiscutable et tranquille plagiat, qui inaugure une de ses spécialités – les vies d'artistes.

«Lucien Leuwen» (1834-1835, inachevé; édité en 1894)

Principaux personnages : Lucien Leuwen et son père, riche banquier/Mme de Chasteller/Le docteur du Poirier/M. de Vaize, ministre de Louis-Philippe/Mme Grandet, riche Parisienne.
Chassé de polytechnique pour républicanisme, Lucien devient, vers 1833, sous-lieutenant à Nancy, où il s'éprend de Mme de Chasteller, aristocrate légitimiste. Du Poirier lui faisant croire à un accouchement de Mme de Chasteller, Lucien revient à Paris comme secrétaire du ministre de

l'Intérieur, de Vaize, qu'il seconde dans ses affaires louches (boursières et électorales).Une troisième partie, non rédigée et finalement exclue, devait se dérouler à Rome après la mort et la ruine de M. Leuwen père, et réunir enfin les deux amants. Stendhal n'avait pas non plus choisi le titre définitif (L'Orange de Malte, Le Rouge et le Blanc, etc.).

«Mémoires d'un touriste» (1838)

Récit, par un pseudo-représentant de commerce en objets de fer, d'un voyage en France. C'est le premier livre publié par Stendhal depuis Le Rouge et le Noir. Il est intéressant de noter que Stendhal a largement contribué à l'acclimatation en France de deux termes d'origine anglaise : égotisme et tourisme.

«Mémoires sur Napoléon» (1836-1837, publiés en 1876)

Stendhal s'était attaqué à une Vie de Napoléon dès 1817-1818, à Milan. Il ne put davantage terminer ces Mémoires.

«Une position sociale» (1832, publié en 1927)

Ebauche d'un roman qui devait se dérouler dans les milieux diplomatiques de Rome.

«Promenades dans Rome» (1829)

Sous les apparences d'un guide touristique en forme de journal, Stendhal livre la meilleure synthèse, colorée et vivante, du beylisme.

«Racine et Shakespeare» (1823)

Pamphlet pro-romantique, plein de verve et d'ironie, qui met en forme des idées élaborées à Milan. Une deuxième version paraît en 1825 sous le même titre, au service de la même cause: prôner une littérature moderne, énergique, originale.

«Rome, Naples et Florence en 1817» (1817)

Avec ce livre, Beyle trouve son nom d'auteur (M. de Stendhal), un de ses genres favoris (le journal de voyage) et sa manière propre de mêler le tourisme, les arts, les mœurs et la politique.

«Rome, Naples et Florence» (1827)

Nouvelle édition, très remaniée, de Rome, Naples et Florence en 1817.

«Le Rose et le Vert» (1837, publié en 1928)

Projet de récit inachevé.

«Le Rouge et le Noir» (1830)

Principaux personnages : Julien Sorel/Mme de Rênal et son époux/ Mathilde de la Mole son père/L'abbé Pirard, directeur du séminaire.
   «Julien est un petit paysan qui, ayant appris le latin chez son curé, entre comme précepteur chez un noble de Franche-Comté. M. de Rênal [maire de Verrières] et devient l'amant de sa femme. Quand les soupçons éclatent, il quitte la maison pour le séminaire. Le directeur le place en qualité de secrétaire chez le marquis de La Mole, à Paris. Il est bientôt homme du monde, il a pour maîtresse Mlle de La Mole qui veut l'épouser. Une lettre de Mme de Rênal le dépeint comme un intrigant hypocrite. Julien furieux tire deux coups de pistolet sur Mme de Rênal; il est condamné et exécuté». (Taine, 1866).

«Souvenirs d'égotisme» (1832, publié en 1893)

Cette première autobiographie, écrite en quinze jours mais brusquement interrompue, devait traiter du séjour à Paris, entre 1821 et 1830, après donc la rupture avec Métilde Dembowski. Stendhal n'a pas été au-delà du chapitre XII.

«Vie de Henry Brulard» (1835-1836, publié en 1890)

Le chef-d'œuvre de l'autobiographie stendhalienne, qui refuse d'endosser le nom paternel, s'arrête au beau milieu de l'année 1800, quand le consul de France à Civitavecchia apprend, en mars 1836, qu'on lui accorde un congé à Paris. Il est impossible de comprendre Stendhal sans cet admirable récit, qui mêle les souvenirs du passé et les réactions de l'écrivain vieillissant..

«Vie de Rossini» (1823)

C'est à la musique, et donc à l'Italie, que Stendhal doit son premier succès littéraire, qui succède à l'échec absolu de De l'amour.

Vie De Rossini,

PAR

M. De Stendhal;

Ornée des Portraits de Rossini et de Mozart.

Laissez aller votre pensée comme cet insensé qu'on lâche en l'air avec un fil à la patte.
Socrate, Nuées d'Aristophane.

SECONDE PARTIE.

CHRONOLOGIE

1721 : Naissance d'Elisabeth Gagnon, tante maternelle de Stendhal (1808).

1728 : Naissance à Grenoble d'Henri Gagnon, grand-père maternel de Stendhal (1813).

1747 : Naissance à Grenoble de Chérubin Beyle, père de Stendhal (1819).

1757 : Naissance d'Henriette Gagnon, sa mère (1790).

1758 : Naissance de Romain Gagnon, son oncle (1830).

1760 Naissance de Séraphie Gagnon, sa tante détestée (1797).

1781 : Mariage des parents d'Henri Beyle.

1783 : Naissance de Henri Beyle, le 23 janvier, à Grenoble, rue des Vieux-Jésuites (actuelle rue J.-J. Rousseau).

1786 : Naissance de sa sœur préférée, Pauline (1857).

1788 : Naissance de sa soeur Zénaïde-Caroline, qui ne l'intéressa jamais (1866). Premiers souvenirs des troubles révolutionnaires.

1790 : Mort d'Henriette Gagnon, le 23 novembre. Désespoir.

1792 : Début, en décembre, de *la tyrannie* de Raillane, son précepteur (jusqu'en août 1794).

1793 : Arrestation de Chérubin Beyle, pour opinions contre-révolutionnaires (jusqu'en juillet 1794). Son fils jubile.

1796-1799 : Elève à l'Ecole Centrale de Grenoble. Il se fait enfin des amis de son âge, et s'éprend de Victorine Bigillion (1783-1866), sœur d'un camarade, et de Virginie Kubly (1778-1835), actrice.

1799 : Départ de Grenoble, le 30 octobre, pour concourir à Polytechnique. Il arrive à Paris le 10 novembre (19 brumaire), le lendemain du coup d'Etat de Bonaparte. Il ne se présente pas au concours, tombe malade, est recueilli chez des parents, les Daru.

1800 : Son cousin Pierre Daru le prend en janvier au ministère de la Guerre. Le 7 mai, il part pour l'Italie à la suite de l'armée de réserve, passe le Saint-Bernard, découvre *Le Mariage secret* de Cimarosa à Novare, arrive à Milan le 10 juin, rencontre Angela Pietragrua, sa future maîtresse (1811), est nommé le 23 septembre, grâce à Pierre Daru, sous-lieutenant de cavalerie dans le 6e dragons. Garnisons en Lombardie.

1801 : Il obtient en décembre un congé pour cause de maladie, rentre à Grenoble.

1802 : Séjourne à Paris à partir du 15 avril (jusqu'en 1805), grâce à une pension versée par son père. Veut devenir écrivain.

1805-1806 : Séjour à Marseille (commerce, et liaison avec Louason). Il quitte Paris pour l'Allemagne en octobre 1806, derrière Martial Daru, et entre en service à Brunswick.

1806-1808 : Fonctionnaire impérial en Allemagne. Amour platonique pour Mina de Griesheim. Continue à écrire.

1809 : Campagne de Wagram, service en Autriche, passion pour la comtesse Pierre Daru.

1810-1811 : Apogée de sa carrière auditeur au Conseil d'Etat, inspecteur du mobilier et des bâtiments de la Couronne. Mène grand train. Voyage en Italie, triomphe d'Angela Pietragrua (septembre 1811), conçoit l'*Histoire de la peinture en Italie*.

1812 : Campagne de Russie, qui ne lui apporte nulle promotion.

1813 : Service en Allemagne. Congé maladie en Italie.

1814 : Service à Grenoble. Se rallie en vain aux Bourbons, écrit un plagiat, les *Lettres sur Haydn, Mozart et Métastase* (mai-juin), s'exile à Milan (juillet 1814-juin 1821).

1814-1815 : Amère rupture avec Angela, voyages, travail.

1817 : Publie l'*Histoire de la peinture en Italie*, signée M.B.A.A., et *Rome, Naples et Florence en 1817*, de M. de Stendhal, Officier de cavalerie.

1818-1821 : Passion malheureuse et dévorante pour Métilde Dembowski. Abandonne une *Vie de Napoléon*, s'enflamme pour les querelles sur le «romanticisme». La mort de son père (1819) ne lui laisse presque rien. Ecrit *De l'Amour* (1820). On lui conseille de rentrer en France quand la répression s'abat sur les amis patriotes de Métilde. Il part le 13 juin 1821 pour Paris (1821-1830).

1822 : Publie *De l'Amour*, fréquente les salons, collabore à des revues britanniques (jusqu'en 1828).

1823 : *Racine et Shakespeare*, pamphlet pro-romantique, et *Vie de Rossini*, son premier succès littéraire.

1824-1827 : Liaison, jusqu'en 1826, avec la comtesse Curial (Menti); collaboration à des journaux français; deuxième version de *Racine et Shakespeare* (1825); *D'un nouveau complot contre les industriels* (1825), autre pamphlet. Publication d'*Armance*, son premier roman. Un long voyage en Italie se termine par une expulsion de Milan (janvier 1828), à cause d'une deuxième version de *Rome, Naples et Florence* (1827).

1828-1830 : La baisse de ses revenus journalistiques le met aux abois, mais il ne trouve aucun poste. Publie les *Promenades dans Rome* et *Vanina Vanini* (1829), engage une liaison éphémère avec Albertine de Rubempré, conçoit à Marseille (25-26 octobre 1829) l'idée du *Rouge et le Noir*, publié le 13 novembre 1830. La Révolution de 1830 ne le fait pas préfet, mais consul à Trieste, où il part en novembre, sans Giulia Rinieri, sa maîtresse depuis le 22 mars.

1831-1836 : Refusé par Metternich à Trieste, il est nommé consul à Civitavecchia (1831-1841), port des états pontificaux. Il réside le plus possible à Rome, multiplie les voyages et les projets littéraires inachevés, et s'interdit de publier en raison de ses fonctions *Souvenirs d'égotisme* (20 juin-4 juillet 1832); *Une position sociale* (1832); *Lucien Leuwen* (1834-1835); *Vie de Henry Brulard* (1835-1836).

1836-1839 : Congé avec traitement, grâce à la protection du ministre Molé. En 1837, il travaille à l'adaptation de manuscrits italiens découverts en 1833, à des *Mémoires sur Napoléon*, entame un roman, *Le Rose et le Vert*, voyage en France (puis, en 1838, à l'étranger) pour écrire les *Mémoires d'un touriste* (1838, son premier livre publié depuis *Le Rouge*). Le 16 août 1838, il a la première idée de *La Chartreuse de Parme*, qu'il écrit du 4 novembre au 26 décembre, et fait paraître le 6 avril 1839. *L'Abbesse de Castro* et trois autres «chroniques italiennes» sortent en décembre 1839. Stendhal est depuis août à Civitavecchia.

1840-1841 : S'acharne sur la composition de *Lamiel*, s'enflamme pour «Earline», rencontre plusieurs fois Giulia Rinieri, vibre avec Mme Bouchot, publie à Florence *Idées italiennes sur quelques tableaux célèbres* (1840) en collaboration avec Abraham Constantin. Le 15 mars 1841, il est frappé d'apoplexie, et quitte Civitavecchia le 21 octobre.

1842 : Une nouvelle attaque, le 22 mars, rue Neuve-des-Capucines, le terrasse dans la nuit du 23. Romain Colomb devient son exécuteur testamentaire.

BIBLIOGRAPHIE

Sur la vie
– Michel Crouzet, *Stendhal ou Monsieur moi-même*, Flammarion, 1990, 797 p. La plus fouillée, la plus prolixe des biographies stendhaliennes.
– Victor del Litto, *La Vie de Stendhal*, Albin Michel, 1965, 349 p. Dense et vivant.
– Henri Martineau, *Le Calendrier de Stendhal*, éd. du Divan, 1950. Toujours indispensable.
Sur l'œuvre
– Georges Blin, *Stendhal et les problèmes du roman*, Corti, 1958. Un grand classique.
– Annie Collet, *Stendhal et Milan*, 2 tomes, Corti, 1986-1987.

– Michel Crouzet, *Stendhal et le langage*, Gallimard, 1981.
– Michel Crouzet, *La Poétique de Stendhal*, Flammarion, 1983.
– Jacques Laurent, *Stendhal comme Stendhal, ou le mensonge ambigu*, Grasset, 1984.
– Victor del Litto, *La Vie intellectuelle de Stendhal, genèse et évolution de ses idées, 1802-1821*, P.U.F., 1959.
– Jean Prévost, *La Création chez Stendhal, essai sur le métier d'écrire et la psychologie de l'écrivain*, 1942, rééd. Gallimard, 1974.
– *Stendhal-Club*, revue des études stendhaliennes.

TABLE DES ILLUSTRATIONS

flammes dans les environs de Brunswick, dessin de Stendhal extrait de la *Correspondance*. Bibl. munic., Grenoble.

55h Place du marché et église Saint-André à Brunswick, gravure du XIXe siècle. Bibl. nat., Paris.

55b Wilhelmine de Griesheim, dite Mina, miniature anonyme. Bibl. munic., Grenoble

56/57 *Le Bain de Léda*, peinture du Corrège. Gemäldegalerie, Staatliche Museen Preussischer Kulturbesitz, Berlin.

58h Première dédicace de l'*Histoire de la peinture en Italie*, à Angela Pietragrua. Bibl. munic., Grenoble.

58m Portrait de Louis Crozet, ami de Stendhal, dessin au crayon de Théodore Sentis. Coll. part., Grenoble.

58b Page manuscrite d'un ouvrage projeté sur l'économie politique, vers 1810. Bibl. munic., Grenoble.

59h Page du *Journal* relatant l'amour pour Mme Daru. Bibl. munic., Grenoble.

59b Portrait de la comtesse Pierre Daru, peinture de David, 1810. Frick Collection, New York.

60 L'incendie de Moscou en septembre 1812, aquatinte réalisée en 1815 par Th. Sutherland d'après W. Heath. Musée Stendhal, Grenoble.

60/61 Le passage de la Berezina, aquarelle. Musée de l'armée,

Paris.

61h Deux boutons d'uniformes portés par Stendhal. Musée Stendhal, Grenoble.

61b Cahier de *Letellier* qui a fait la campagne de Russie. Bibl. munic., Grenoble.

62h Entrée des puissances coalisées à Paris le 31 mars 1814, gravure colorée par Artaria à Vienne, Fondation Dosne-Thiers. Collection F. Masson, Paris.

62b Capitulation de Paris le 31 mars 1814, gravure colorée par Artaria à Vienne, Fondation Dosne-Thiers. Collection F. Masson, Paris.

63 Déclaration du 6 janvier 1814 signé L'Auditeur au Conseil d'Etat De Beyle. Musée Stendhal, Grenoble.

CHAPITRE III

64 La Corsia dei Servi (aujourd'hui cours Victor Emmanuel) en 1836, peinture de Giuseppe Canella. Musée de Milan.

65 Vue de Stendal à la fin du XIXe siècle, gravure allemande. Bibl. nat., Paris.

66h Rapport de police sur Monsieur Beyle, rédigé et écrit par Stendhal lui-même; Musée Stendhal, Grenoble.

66b Portrait de Louis-François de Barral, miniature anonyme. Musée Stendhal, Grenoble.

67 Albergo del Rebecchino, peinture anonyme du XIXe

siècle. Musée de Milan.

68h Portrait de Félix Faure, miniature de J.-F.-G. Fontallard. Coll. part., Grenoble.

68b Assassinat du ministre Prina à Milan en avril 1814. Coll. part., Milan.

69h La villa Simonetta, aquarelle de Giuseppe Alinova. Musée de Milan.

69b Seconde dédicace de l'*Histoire de la peinture en Italie*, à Alexandrine Daru.

70h Titre de l'édition originale de *Rome, Naples et Florence en 1817*. Bibl. nat., Paris.

70b Portrait de Byron en 1826 par Maugaisse. Bibl. nat., Paris.

71 Frontispice de Félicien Rops pour l'édition de 1864 de *H.B.* de Mérimée.

72h Vue de Tremezzo sur le lac de Come, aquatinte de F. et C. Lose. Musée Stendhal, Grenoble.

72b Une loge à la Scala, frontispice de l'ouvrage *Etrennes italiennes pour l'année 1844*. Coll. part., Milan.

73g Première page de *L'Eteignoir*, comédie en six actes inachevée de Stendhal. Bibl. munic., Grenoble.

73d L'éteignoir, croquis de Stendhal dans le *Journal*. Bibl. munic., Grenoble.

74/75 *Le Jugement dernier*, peinture de Michel-Ange pour le plafond de la chapelle Sixtine à Rome.

75 Page de titre du tome II de l'*Histoire de la peinture en Italie*,

1817. Bibl. nat., Paris.

76g *Souvenir de la campagne de Naples*, peinture de Camille Corot pour le décor d'une salle de bain dans la maison de François Parfait Robert à Mantes. Musée du Louvre, Paris.

76d Page de titre de la *Edinburgh Review*, Londres, 1815.

77 Le théâtre San-Carlo à Naples, aquarelle du XIXe siècle, Musée de la ville de Vienne.

78h Couverture du Roman de Métilde. Bibl. munic., Grenoble.

78b Portrait présumé de Mathilde Dembowski, miniature anonyme.

79 *La Citadelle de Volterra*, peinture de Camille Corot. Musée du Louvre, Paris.

CHAPITRE IV

80 Le salon de madame Ancelot pendant une représentation de Rachel dans le rôle d'Hermione (détail), peinture de Virginie Ancelot. Coll. part, Paris.

81 Portrait de Rossini, frontispice du tome I de la *Vie de Rossini*. Bibl. nat., Paris.

82 Titre manuscrit des *Souvenirs d'égotisme*. Bibl. munic., Grenoble.

83h Vue d'une entrée de la ville de Montmorency, gravure par Duparc d'après Moreau le Jeune.

83b Portrait mortuaire de Napoléon par Calamatta d'après le

INDEX

CRÉDITS PHOTOGRAPHIQUES

Archiv für Kunst und Gescichte, Berlin 40, 156. Archives Gallimard, Paris 1er plat, 4, 5, 6, 7, 13, 17, 20/21, 22h, 22/23, 28b, 42, 43h, 45h, 45b, 46hg, 46hd, 48h, 49b, 54/55, 58h, 58b, 59h, 61b, 66h, 69h, 69b, 76d, 78b, 84g, 89m, 89b, 91, 92, 93m, 96, 96/97, 97h, 107, 110m, 111b, 112b, 113, 116h, 118h, 125h, 125b, 126h, 132, 134, 136, 137, 142, 147, 148. Archives Roger-Viollet 52/53, 83h, 83b, 84/85. Archives Sangnier 4e plat, 80, 90/91. Artephot/Nimatallah 36. Artothek-Joachim Blauel 31. Bibliothèque municipale, Grenoble 1, 2, 3, 15, 16, 22m, 28h, 29b, 30hg, 30hd, 30bd, 35h, 35b, 41, 50g, 50m, 54hg, 54hd, 55b, 73g, 73d, 78h, 82, 84d, 89h, 108, 115h, 120/121, 122, 124h, 127b, 129, 133, 139. Bibliothèque nationale, Paris 5, 28/29, 44d, 46b, 47, 48b, 49h, 53, 55h, 65, 70h, 70b, 75, 81, 86, 87, 88h, 93h, 94h, 95b, 98h, 99, 104/105, 111h, 115b, 118b, 119b, 120, 141, 146, 152, 155, 163, 165. Bibliothèque Sormani, Fonds Bucci, Milan 1er plat, 54mg, 110h, 114h, 135. Bulloz, Paris 39h. Cinémathèque française, Paris 138, 161. D.R. Dos, 21h, 37, 58m, 68h, 68b, 71, 72b, 97b, 102. Dagli-Orti, Paris 40/41, 43b, 62h, 62b, 77, 94b, 103, 123, 130, 131. Edimédia 95h. Frick Collection, New York 59b. Gallimard/Hubert Josse 32/33. Giraudon, Paris 60/61, 85, 119h. Lauros-Giraudon, Paris 12, 16/17. Musée Dauphinois, Grenoble, 24/25. Musées de la ville de Paris/Spadem 39b. Musée Stendhal, Grenoble 3, 6, 9, 14/15, 18/19, 20, 21m, 21b, 26/27, 30bg, 34h, 34m, 34b, 34/35, 44g, 50d, 51h, 51b, 60, 61h, 63, 66b, 72h, 98b, 106, 109, 116b, 116/117, 124b, 127h. R.M.N. 14, 18, 19, 38, 76g, 79, 88b, 110b, 128. Scala, Florence 64, 67, 74/75, 112h, 114b, 126b. © Spadem/Piccardy 29h. Staatliche Museen Preussischer Kulturbesitz, Berlin 56/57. Statens Museum for Kunst, Copenhague 1er plat, 11, 100/101.

REMERCIEMENTS

Les Editions Gallimard remercient monsieur Montrozier du musée Stendhal et de la bibliothèque municipale à Grenoble, madame Chiesa et monsieur Grechi du Fonds Bucci de la bibliothèque Sormani à Milan, et monsieur Jean Sangnier, qui ont apporté leur aide à la réalisation de ce livre.

COLLABORATEURS EXTÉRIEURS

Catherine Schubert a conçu la maquette du corpus de cet ouvrage, Dominique Guillaumin celle des Témoignages et Documents. Concetta Forgia a réalisé les mises en couleur. Odile Zimmermann a assuré la recherche et le suivi rédactionnel.

Table des matières